Y PALMANT AUR

Siglo'r Crud

Y gyfrol gyntaf

Manon Rhys

Argraffiad cyntaf—1998

ISBN 1 85902 623 0

Seiliwyd y gyfres deledu a'r gwaith hwn
ar syniad gwreiddiol Richard Lewis.

Dymuna'r awdur a'r cyhoeddwyr ddiolch i gwmni Teledu Opus
ac i S4C am y lluniau, ac i'r ffotograffydd, Gareth Morgan.

Dymuna'r cyhoeddwyr gydnabod cymorth
Adrannau Cyngor Llyfrau Cymru.

Argraffwyd yng Nghymru gan
Wasg Gomer, Llandysul, Ceredigion

Er cof am y ddwy Fodo, Mari ac Elen,
Maesllan, Hen Fynwy, Ffos-y-ffin, Aberaeron
a ddychwelodd i'w cynefin
ar ôl blynyddoedd yn Llundain.

TEULU FFYNNON OER

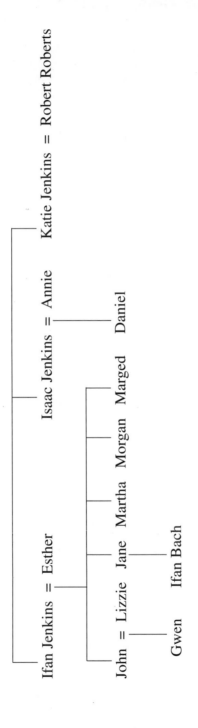

Ifan Jenkins = Esther   Isaac Jenkins = Annie   Katie Jenkins = Robert Roberts

John = Lizzie   Jane   Martha   Morgan   Marged   Daniel

Gwen   Ifan Bach

CHWEFROR, 1921

Mae hi'n bwrw eira yn Llundain, y manblu'n chwyrlïo'n gawod felen yng ngoleuadau'r lampau. Ond o dan draed a charnau ac olwynion mae'r cyfan yn slwsh brown.

Dau geffyl du sy'n tynnu'r hers yn urddasol ar hyd Praed Street, a deugain a mwy o alarwyr yn ymlwybro y tu ôl iddynt, eu hymbaréls duon yn gwynnu'n gyflym, eu pennau wedi'u crymu, eu llygaid tuag at y llawr. Rhaid troedio'n ofalus rhag llithro i'r gwter. Robert Owen Roberts, M.D., M.R.C.S., sydd ar flaen yr orymdaith leddf, ei wyneb yn dalp gwelw, ei wallt yn fwy brith nag arfer yn yr eira. Ei weinidog, y Parchedig William Jones, B.D., sydd ar y dde iddo, ac ar y chwith, Isaac Jenkins, ei frawd-yng-nghyfraith.

Trwch o wynder yw'r ystafell esgor. Y nenfwd a'r waliau, dillad y nyrsys, pob gorchudd, gobennydd a lliain yn glinigol antiseptig. Ac ar wely claerwyn mae Jane fach Jenkins yn syllu ar yr haenen feddal sy'n prysur orchuddio'r ffenest uwch ei phen. Mae hi'n cau ei llygaid, ac yn nüwch y don o boen sy'n llifo drosti, gwêl yr eira'n disgyn dros gaeau Ffynnon Oer yn flanced ddisglair, hardd.

– *Come on now, dearie! Push!*
– Jawl eriôd! *I can't, I tell you!*
– *Jane, you're being very awkward.*
– Ca' dy ben, yr hen iâr ori!
Jane fach Jenkins yn diawlio'r nyrs yn hyglyw. Yn dawel fach, ond â'i holl enaid, mae hi'n diawlio tad ei babi.

Mae'r prysurdeb arferol y tu allan i orsaf Paddington. Wrth y brif fynedfa mae Joey'n curo'i draed poenus ar y pafin ac yn chwythu ar ei fysedd wrth lafarganu '*Read all about it! Three soldiers killed in Dublin!*' Mae Maggie May McGuire sychedig yn chwifio'i daffodils gwywedig am hanner pris o dan drwyn

7

coch P.C. One-O-Nine sy'n ei hanwybyddu, gan ei fod yn brysur yn clirio'r ffordd ar gyfer hers a'i chynffon. Caiff ffwdan i symud twr o bobol sy'n edmygu motor car sgleiniog y mae ei berchennog wrthi'n chwilio am borter i gario'i fagiau lledr, ac mae Nobby Bloom yn gwrthod symud ei gart a'i geffyl nes iddo orffen llwytho'i eiddo i gyd – ei wraig a'i saith o blant, dau gist morwr, sachaid o datws, sachaid o foron ac *Irish Wolfhound* gwyllt.

Mae perchennog y motor car yn arwain ei wraig i mewn i'r orsaf. Mae'n rhaid iddi godi ei ffrog sidan dros ei phigyrnau er mwyn camu dros y pyllau dŵr. Llifa'r ddau tuag at y trenau, eu dillad yn siffrwd heibio i'r cardotwyr llawagored a'r plant bach rhacs sy'n eu llygadu'n awchus.

Yn y neuadd fawr mae 'na fwrlwm o gyfarch a ffarwelio parhaus. Plant a'u rhieni, cariadon, milwyr, lleianod, *nannies, governesses,* pawb yn cusanu a chofleidio, yn brasgamu'n bwrpasol neu'n tindroi'n ansicr, yn wylo o lawenydd neu o dristwch yn seiniau *Abide With Me* o drwmped Lucky Baranski ac *Oranges and Lemons* sy'n cael ei odro gan Watford Wally o grombil hen organ. Mae Misty, y mwnci bach llygatfawr sy'n eistedd ar ei ysgwydd, yn gwylio'r mynd a'r dod, gan ddangos ei ddannedd a rhoi sgrech annaearol bob hyn a hyn.

Yng nghanol y bedlam mae Luther Lewis, B.A., B.D., yn eistedd ar ei fainc, ei botel whisgi, am unwaith, yn ddwfn ym mhlygion y clogyn sy'n garthen amdano. Mae ei het gantel, fel arfer, yn cuddio'i lygaid crocodeil, ond gwêl yntau, fel Misty, y cyfan o'r mynd a'r dod.

Cwyd ar ei draed i gyfarch y Chwaer Loretta, a chymer bip i mewn i'w *pherambulator* mawr.

– *Two little boys, today, Luther. Twins – Joseph and John – for Dr Barnardos, Cardiff. Poor little things . . .*

– Gadewch i blant bychain ddyfod ataf i. Ac na waherddwch iddynt . . .

– Canys eiddo y cyfryw rai yw Teyrnas Nefoedd. *God Bless you, Luther . . .*

Mae gwên y Chwaer Loretta mor fwyn â'i hacen Tipperary.

– *Come on now, dearie! Don't give up!*

Mae chwys a dagrau ar wyneb Jane. Mae hi'n blasu'r halen ar ei gwefusau ac yn teimlo'r gwaed yn diferu rhwng ei choesau.

Yn sydyn gwêl Luther yr hyn y bu'n disgwyl amdano – y dyrfa'n ymagor megis rhyw Fôr Coch lliwgar, a P.C. One-O-Nine, megis rhyw Foses bach cydwybodol, yn arwain y prosesiwn angladdol drwyddi. John Evans a'i fab, yr ymgymerwyr, sydd ar y blaen, a'r arch yn eu dilyn ar ysgwyddau pedwar blaenor. Ar eu sodlau y mae Robert Roberts a William Jones, Isaac ac Annie Jenkins a Daniel, eu mab, Grace Morgan, chwaer Annie, Hannah Jones, merch William, Wyn Pritchard, y codwr canu, gweddill y blaenoriaid, ac yna aelodau eraill Capel Gladstone Road yn y gwt. Mae Luther yn eu hadnabod i gyd. Gŵyr yn iawn pwy yw'r galarwyr eraill hefyd – meddygon Ysbyty Guys a Harley Street ac aelodau'r Savoy Club. Cyn i'r llwybr gau gwêl un dyn bach arall yn y gwt yn deg. Isaac Cohen, yr hen Iddew ffyddlon ar goll yng nghanol yr holl Gristnogion pybyr. Mae Luther yn chwilio am rywun arall hefyd – ac yn ei weld. Vera Thornton, yn ei ffwr a'i phlu, yn cuddio ar y cyrion, yn llygadu'r cyfan o bell. Gwena Luther wrth dynnu ei het . . .

Aeth bwrlwm y stesion yn llonydd ac yn fud, a phawb yn sefyll yn stond – o barch neu o chwilfrydedd – i wylio'r ddrama ryfedd. Distewodd pob trwmped ac organ a chorn siarad. Does dim i'w glywed ond llais y Parchedig yn megino.

– Yr Arglwydd yw fy mugail; ni bydd eisiau arnaf . . .

Gwêl Luther yr arwydd arian yn fflachio ar yr arch wrth iddi fynd heibio.

KATHERINE ROBERTS
1880 – 1921

– Ie, pe rhodiwn ar hyd glyn cysgod angau, nid ofnaf niwed; canys yr wyt ti gyda mi, dy wialen a'th ffon a'm cysurant . . .

Gwêl Luther y galarwyr yn gwylio Robert ac Isaac yn dilyn yr arch ar hyd Platfform Dau. Gwêl Annie'n sychu ei llygaid â'i hances boced wen; gwêl Dan yn wincio'n slei ar Hannah; gwêl Hannah'n gwrido. Ac yna gwêl Robert yn troi ei ben am hanner eiliad i gyfeiriad Vera. Mae hi'n gwenu arno, ei gwefusau'n hollti'n goch yng ngwynder powdrog ei hwyneb o dan ddüwch ei het. Nid yw Robert yn ymateb. Try ei ben yn ôl at yr arch sy'n cael ei gosod yn dyner yng nghrombil y trên. Gwêl Luther y cyfan hyn . . .

Ac yna mae Robert yn camu i mewn i un o'r cerbydau, ac Isaac ar ei ôl. Clep y drws, sgrech y chwiban, poerad o stêm, ochenaid gan yr enjin, ac mae'r trên ar ei ffordd.

Wyn Pritchard sy'n taro'r nodyn, yn berffaith, fel arfer.

– 'O fryniau Caersalem ceir gweled
   Holl daith yr anialwch i gyd . . .'

Mae'r lleisiau'n atseinio at y nenfwd cerfiedig. Am funud gron mae neuadd gorsaf Paddington yn gymanfa ganu leddf, a'r teithwyr a'r gweithwyr yn gwrando arni'n syfrdan werthfawrogol.

– 'Cawn edrych ar stormydd ac ofnau,
   Ac angau dychrynllyd, a'r bedd;
   A ninnau'n ddihangol o'u cyrraedd
   Yn nofio mewn cariad a hedd.'

Nid yw Luther yn canu. Drwy gil ei lygaid gwêl Vera Thornton yn troi ac yn sleifio drwy'r dyrfa cyn diflannu. Gwena eto . . .

Mae Jane fach Jenkins yn magu ei babi. Mae ei ben bach gwaedlyd yn staenio'i gŵn gwyn. Sylla'n drist ar ei wyneb crwn a sibrwd:

– Croeso i'r hen fyd 'ma, Ifan Bach.

*

Sylla'r hen Bero'n ddigalon ar y gwynder oer o'i gwmpas gan ymdrechu'n ofer i ysgwyd y dafnau gwlyb o'i flew. Yn ei ddigalondid fe gwyd ei ben, ymestyn ei wddf i'r awyr dywyll ac udo'n lleddf.

– Gad dy wben, Pero!

Cwyd John Jenkins goflaid o'r coed tân y mae newydd eu torri, cyn brasgamu ar draws y clos a diflannu i mewn i'r tŷ. Penderfyna Pero nad oes dim i'w wneud ond ysgwyd ei got unwaith eto a dychwelyd yn benisel i'w gwtsh.

Daw Ifan Jenkins, sach am ei ysgwyddau, lamp olew yn ei

law, yn wargam o'r beudy a bolltio'r drws cyn mynd at Pero a thynnu'i law yn dyner dros ei ben.

– Ci da, Pero bach, ci da . . .

Mae Pero'n ysgwyd ei gynffon ac yn llyfu'r wyneb crychog.

Yn y gegin mae John yn taflu pren go lew o faint i'r tân bach gwantan – ac un arall ac un arall. Mae'r fflamau'n eu llarpio gan lanw'r stafell â goleuni newydd. Gwena John ar Lizzie, ei wraig, sy'n eistedd ar y sgiw yn cwiro sanau. Wrth y ford, yn ymyl y lamp, mae Marged Ann a Morgan, y naill yn tynnu llun ei hefaill â phensil, y llall yn darllen *Elements of Chemistry*.

– 'Na welliant, John bach! 'Newn ni'm marw o oerfel nawr!

Martha sy'n siarad. Martha finiog ei hymennydd a'i thafod, wedi ymgolli heno yng ngherddi Tennyson. Mae golwg fach boenus, fel arfer, ar Marged Ann, sy'n mentro gofyn y cwestiwn mawr:

– Ond beth wedith Dat?

– 'Sdim ots 'da fi beth wedith e!

Mae John yn taflu un coedyn bach arall i'r tân yn heriol cyn eistedd yn ymyl Lizzie a rhoi ei fraich amdani. Does dim i'w glywed ond tasgu'r coed wrth losgi . . .

Oes. Mae Ifan yn peswch yn groch y tu allan i ddrws y cefn wrth waredu eira o'i sgidiau. Daw i mewn i'r gegin yn nhraed ei sanau a suddo'n flinedig i'w gadair dderw. Sylla ar y tân cyn taflu gwg gyhuddgar at John.

– Ma' digon o dân 'ma i rosto mochyn! Sawl gwaith ma'n rhaid i fi weud . . .

– Dyw coed tân ddim yn tyfu ar goed!

Martha sy'n dynwared ei thad, yn berffaith, fel arfer. Marged yw'r unig un sy'n gwenu. Mae John yn ymdrechu i beidio â gwylltu.

– Dat, ma' hi'n nosweth sobor o oer. Fyddwn ni i gyd yn godde os na chadwn ni dân go lew.

– Fyddwn ni'n godde'n wa'th os na chadwn ni well trefen ar bethe!

– Fi sy'n ca'l honna 'to, ife? Odych chi'n awgrymu . . .

– Wy'n awgrymu dim, grwt!

Yn sydyn mae John ar ei draed ac yn martshio at y drws.

– Reit! Wy'n dechre ca'l llond bola! Ma' dyn yn treial 'i ore yn y tipyn lle 'ma. A beth yw'r diolch ma' fe'n ga'l? Dannod a checru diddiwedd!

Clep ar y drws, eiliadau o dawelwch, a phawb yn syllu ar ei gilydd ac ar wyneb surbwch Ifan. Ac yna daw sŵn llefain plentyn bach o'r llofft. Mae Lizzie'n rhedeg i fyny'r staer . . .

Bu Esther Jenkins yn gwrando ar y cyfan hyn o'i gwely. Fe glywodd rywbeth tebyg bron bob nos ers wythnosau. Nawr fe glyw Lizzie'n cysuro'i chroten fach.

– Dere di, Gwen fach . . . Hen weiddi dwl a chwmpo mas, ontefe? A wyt ti'n oer, on'd wyt ti? Dy ddwylo bach di, dy drwyn bach di . . . Dere, awn ni â Jemeima lawr at y tân . . .

Mae Esther yn cau ei llygaid. Does dim i'w wneud ond aros yn amyneddgar nes i'w gŵr ddod ati i'r gwely oer.

*

Mae'r Parchedig William Jones, a Hannah'n cydio yn ei fraich, yn codi'i het ar y chwiorydd.

– Nos dawch, Mrs Jenkins . . . Miss Morgan . . . Daniel, dos â nhw adra'n saff.

O hir brofiad, mae Annie'n adnabod yr olwg euog ar wyneb ei mab.

– Dyw e ddim yn dod gatre 'da ni, Mr Jones. Ma' fe'n mynd mas i galifanto heno 'to.

Mae llygaid Annie'n sgubo'r llawr â'i mab. William Jones sy'n dod i'r adwy.

– Mrs Jenkins fach, be 'nawn ni efo'r genhedlaeth ifanc, 'dwch? Diolch byth nad ydi Hannah wedi dechra ar y castia yma eto!

– Ma'r gofid 'na o'ch bla'n chi, Mr Jones. Ac am wn i, ma' magu croten yn wa'th na magu crwt.

– Ond mae Hannah'n hogan dda. On'd wyt ti, Hannah?

Does neb ond Dan yn amau'r wên ddiniwed.

– Ty'd, Hannah fach. 'Adra, adra, blant afradlon.'

– Nos da, Mr Jones. A diolch droston ni fel teulu.

– Braint, Mrs Jenkins. Braint. Mi oedd gin i feddwl mawr o Mrs Katie Roberts. Nos dawch, rŵan . . .

Does neb ond Dan yn sylwi ar y wên rhwng Grace a William Jones. Does neb yn sylwi ar y wên rhwng Dan a Hannah, na'r ffordd y mae hi'n troi i wenu arno eto o ben draw'r stryd. Mae Annie wrthi'n pysgota yn ei bag.

– Faint licet ti 'da fi heno, Daniel?

– Swllt a whech? Benthyg, 'na i gyd.

– Pryd ddysgi di bod 'benthyg' yn golygu talu'n ôl?

– 'Sdim isie pregeth heno 'to . . .

Mae Grace yn gwasgu pishyn hanner coron i'w law.

– Cymer hwn 'wrth dy fodryb Grace. Ond cofia di helpu dy fam bore fory. Fe fydd y gwaith yn drwm heb dy dad a Jane.

Ond mae Daniel wedi mynd, wedi dianc i'r cysgodion gan adael y ddwy chwaer i gerdded fraich ym mraich.

– Beth wna i ag e, Grace?

– 'Mond diolch i Dduw amdano fe.

Maen nhw'n cerdded heibio i Luther heb sylweddoli mai fe yw'r pentwr dillad carpiog ar fainc gerllaw. Mae yntau'n eu gwylio'n diflannu i'r pellter cyn tyrchu am ei botel a syllu arni'n heriol. Tri dracht hir yn ddiweddarach fe gyfarcha ddieithryn.

– *Good evening, Sir! You seem to be a learned man.*

– *I beg your pardon?*

– *Would you care to join me on my seat of learning? Allow me to introduce myself. The Reverend Luther Lewis, B.A., B.D., thrice chaired eisteddfodic bard . . .*

Mae'r dyn yn diflannu fel llycheden.

– Cer 'te, y Philistiad ddiawl!

Tri dracht arall ac mae Luther yn gorwedd ar ei fainc, ei het dros ei wyneb, ei glogyn yn garthen amdano, a'i lygaid crocodeil ynghau.

– Nos da, fyd . . .

*

Mae'r tân yn dal i glecian ar aelwyd Ffynnon Oer, ac mae Ifan yn dal i syllu i'w berfeddion. Mae Lizzie'n hymian yn dawel wrth fagu Gwen fach gysglyd – a Jemeima'r ddoli rhacs – mewn siôl fawr frethyn, a Marged Ann yn hofran wrth y ffenest, yn syllu'n bryderus ar yr eira'n cronni ar y clos. Aiff i eistedd at

Morgan sydd â'i drwyn yn dal yn ddwfn rhwng cloriau ei lyfr. Mae *The Poems of Tennyson* ynghau ar lin Martha, sy'n llygadu ei thad yn ddifrifol. Mae hi ar fin dweud rhywbeth wrtho pan ddaw John i mewn, eira'n drwch dros ei ysgwyddau llydan, a mynd yn syth at gadair ei dad.

– Dat – ma'n ddrwg 'da fi.

Mae Ifan yn dal i syllu ar y tân.

– Do'dd dim hawl 'da fi weud beth wedes i.

Mae pawb yn dal eu hanadl wrth i Ifan godi ei olygon a syllu'n drist ar John. Yna, fe gwyd a cherdded yn araf at y staer. Yn sydyn mae Martha'n ffrwydro.

– Beth sy'n bod arnoch chi? Beth yw'r cwmpo mas tragywydd 'ma? A heno, o bob nosweth, ag arch Anti Katie ar 'i ffordd!

Mae Ifan yn syllu'n drist arni hithau hefyd, cyn dringo'r staer ac agor drws y stafell wely i wynebu Esther, sydd wedi codi ar ei heistedd yn y gwely.

– Ifan bach, ma' digon o ofidie 'da ni'r dyddie hyn heb gwmpo mas â'n plant.

*

– Ffynnon Oer . . . Brynarfor . . . *Aberayron* . . . *Cardiganshire* . . . *Wales* . . .

Jane sy'n sillafu'r cyfeiriad yn ofalus ar gyfer y nyrs.

It's arrived . . . Come as soon as possible . . .

A'r nyrs yn meddwl yn ddistaw fach y byddai'n werth ei ffortiwn petai hi'n cael swllt am bob un o'r teligramau hyn. Y teligramau trist.

*

Erbyn hyn does neb ond John a Lizzie wrth y tân, a suddodd yn bentwr coch i grombil dwfn y grat. Aeth Martha i'w gwely'n ffrom, Marged Ann yn gwmni iddi, a Morgan ar eu sodlau yr eiliad y sylweddolodd ei fod yn tarfu ar gwmnïaeth gŵr a gwraig. Mae John a Lizzie'n eistedd ar y sgiw, yn cusanu yng ngwres y marwor. Mae Lizzie'n rhoi ei breichiau am ei gŵr, yn

14

ei dynnu tuag ati ac yn dechrau chwilota'n awchus o dan ei grys a rhwng ei goesau. Ond fe'i gwthia oddi wrtho.

– Paid. Dim fan hyn.

– Ble 'te, John? Yn y gwely? A Gwen yn cysgu 'da ni, a dy rieni'n gwrando'r ochor draw i'r pared? Ond fydde dim pwynt ta beth. Wyt ti wastad wedi blino gormod.

– Lizzie . . .

– Pam na 'nei di gyfadde 'mod i'n gweud y gwir!

– Paid â gweiddi!

– Allwn ni ddim cwmpo mas yn iawn rhag tarfu ar bawb arall!

– Fe wellith pethe . . .

– Ti'n credu 'ny? Gwaith, gwaith a mwy o waith! 'Na'n bywyd ni y dyddie hyn!

Yr un hen gyhuddiad. Mae John yn pwyso'i ben yn ôl yn flinedig ar gefn y sgiw. Sylla Lizzie ar ei wyneb, ac yna gafael yn ei law a'i chodi'n dyner at ei boch.

– John, fe addawest ti ofyn i dy Wncwl Isaac . . .

– Fe 'na i.

– A dy Wncwl Robert!

– Doctor yn Harley Street yw Wncwl Robert! Beth ddiawl allith e gynnig i fi?

– Ma'n rhaid i ni fynd i Lunden!

– Ca'l dy siomi gei di, Lizzie. Dyw bywyd fan'ny ddim yn fêl i gyd.

– Ond fe gelen ni 'bach o sbort! A ma'n hen bryd i ni ga'l 'bach o hwnnw!

*

– *Right you are, Daniel Jenkins, time to go home to your Mum.*

Vera Thornton sy'n siarad, ei llais yn galed finiog yn erbyn chwerthin meddw ei chwsmeriaid, tincial eu gwydrau a cherddoriaeth *flapper* y *gramophone*.

– *'Mam' I calls her, Vera.*

– *An' 'Miss Thornton' they calls me in this place. Ain't that right, Jimmy?*

Mae'r cawr surbwch wrth y drws yn amneidio'i ben yn araf.

– *Sorry, Miss Thornton.*

– *I'll forgive you this time, Danny. Now be a good little boy . . .*

15

– I am a good little boy – ain't I, Lily?

Lily yw'r groten groenddu sy'n hongian ar ei fraich. Mae hi'n pecial yn uchel.

– I am such a good boy I'm escorting Lily 'ere 'ome safe and sound. D'you know what I calls 'er, Miss Thornton? My 'Lily of the Valley'!

Mae Lily'n gwichad wrth iddo wthio'i fysedd i'r hollt dwfn rhwng ei bronnau.

– 'Night, Miss Thornton . . .

– 'Night, Danny boy . . .

Mae Jimmy'n cau'r drws yn glep ar eu holau.

– An' good riddance to bad rubbish an' all, eh Jimmy?

Pedwar o'r gloch ar fore tywyll, oer, a does dim i'w glywed yn y sièd y tu ôl i'r Jenkins Dairy ond swish, swish y llaeth yn llifo i'r bwced sydd rhwng coesau Annie. Yng ngoleuni'r lamp fe welwn ddwy fuwch Friesian a glymwyd wrth y rhastal yn cnoi eu cil yn jocôs, eu hanadl yn codi'n stêm at y nenfwd isel. Gwelwn Annie, siôl frethyn am ei hysgwyddau a'i chap gwlân du yn isel dros ei thalcen, yn pwyso'i phen ar fola cynnes Daisy. Mae bysedd Annie'n goch yn erbyn pinc y tethi a gwynder y llaeth sy'n rhaeadru ohonynt.

– Gw'gerl fach, Daisy . . .

Ymhen tipyn mae'r llif yn pallu, ac mae Annie'n codi o'i stôl ac yn ei gosod wrth dethi llawn y fuwch arall.

– Nawr'te, Blossom fach, dy dro di nawr . . .

*

Fe glywn yr un swish, swish ym meudy Ffynnon Oer ac fe welwn John ac Ifan Jenkins, sachau am eu cefnau, eu capiau pig wedi'u troi sha 'nôl, yn tynnu'r llaeth o dethi dwy fuwch Friesian. Mae rhesaid amyneddgar – rhyw ddwsin i gyd – yn aros eu tro. Pob un ond Blacen, sy'n chwythu ac yn stablan bob hyn a hyn.

*

Mae Isaac Cohen yn agor drws ei siop ac yn edrych ar draws y stryd i gyfeiriad siop y Dairy. Gwêl yr arwydd mawr uwchben y drws yn datgan *ISAAC JENKINS & SON – DAIRYMAN,*

GROCER AND COWKEEPER, PURVEYOR OF MILK, BUTTER & CHEESE. Mae ei arwydd mawr ei hun yn datgan *ISAAC COHEN – GENERAL DEALER & PAWNBROKER – ITEMS BOUGHT AND SOLD – GOOD PRICES PAID – ANYTHING CONSIDERED.* Mae ei ffenest, fel ei siop, yn orlawn o drugareddau a gasglwyd yn ystod oes hirfaith o fasnachu craff. Dwsinau o luniau mewn fframiau cerfiedig, cannoedd o lyfrau, lampau, potiau, cleddyfau, adar wedi'u stwffio, pennau ceirw a theigrod – ac un llew – yn hongian o'r waliau, delwau a thlysau o bedwar ban byd, o bob lliw a llun, o arian ac ifori a chwrel. Ac ambell drysor, o dan glo, o aur.

Mae Cohen yn cloi drws ei siop, yn croesi'r ffordd at glwydi trymion iard y Dairy ac yn eu hagor. Newydd orffen gosod Bess y gaseg lwyd yn yr harnes y mae Annie, cyn dechrau llusgo un o ddwy *churn* lawn tuag at y cart.

– *Mrs Jenkins! It's too heavy for you! Where is Daniel?*

Cwestiwn da. Petai hi'n gwybod, fe gâi haint.

– *You bastard, Daniel Jenkins! Mummy's little boy! Go back 'ome to 'er an' wash behind your ears!'*

Lily a thair o'i chydweithwyr lliwgar sy'n gweiddi arno o ffenest uchel adeilad tlodaidd.

– *I'll pay you next time, Lily. Honest!*

– *There'll be no next time! Now bugger off!*

– A'r un peth i tithe 'fyd, yr hwren!

Yn sydyn mae Daniel ar ei din yn y slwsh, a chorws o wawd a chwerthin yn atseinio yn ei ben.

– Twll dy din di, Lily! Twll 'ych tine chi i gyd!

Cwyd ar ei draed a thynnu ei watsh o'i boced.

– Damo, jawl!

Gwêl *carriage* ym mhen draw'r stryd a rhed tuag ato.

– *Jenkins's Dairy, Paddington. Quick!*

*

Toriad gwawr ar stesion Aberayron, a Harri James, gweinidog Capel Brynarfor, Moc Owen, yr ymgymerwr, a Rhys Jones, ei gynorthwywr, yn camu i gyfeiriad y trên sy'n pwffian i mewn

17

yn araf. Maen nhw'n ysgwyd llaw â Robert Roberts ac Isaac Jenkins, cyn mynd at gefn y trên i gael gair â'r orsaf feistr. Brasgama'r brodyr-yng-nghyfraith drwy'r haenen o eira at y gambo a'r hers a fydd yn eu cario hwy a'r arch i Ffynnon Oer. Mae'r ddau geffyl du'n stablan yn ddiamynedd yn yr oerfel.

Martha sy'n eu gweld nhw gyntaf yn dod ar hyd y lôn. Daw Ifan a John o'r beudy, a Lizzie, Morgan a Marged Ann o'r tŷ. Ac o ffenest y llofft, mae Esther yn gwylio'r dynion yn ysgwyd dwylo cyn i John a Morgan helpu Moc a Rhys i godi'r arch o'r hers a'i chario i mewn i'r tŷ.

*

– Ble ddiawch wyt ti wedi bod tan nawr?
　Mae'r olwg sydd ar Daniel yn awgrymu iddo dreulio'r nos mewn cwter.
– Sori.
– Sori, sori, yr un hen stori! Gwishga hon a cher â'r cart 'ma mas. Nawr!
　Mae Dan yn gwisgo'r got wen a daflwyd ato, yn dringo i sêt y gyrrwr yn bwdlyd, yn gafael yn yr awenau ac yn clicio'i ddannedd.
– *Gee up*, Bess!
　Mae Annie'n gwylio'r cart yn mynd drwy'r bwlch ac yn troi i'r dde cyn diflannu clip clop i lawr y stryd. Cohen sy'n cau'r clwydi.
– *Isaac, what am I going to do with him? He'll be the death of me.*
– *Let the little man grow up, Mrs Jenkins. Let him grow up.*
– *Thank you for helping me . . .*
– *We are neighbours, Mrs Jenkins. Good neighbours help each other.*

*

Ym mharlwr cyfyng Ffynnon Oer mae'r pennau wedi'u crymu ac mae Harri'n traethu.
– Bydded i nawdd y nef fod yn gynhorthwy i deulu'r

ymadawedig chwaer, Mrs Katie Roberts, yn eu galar a'u hiraeth. Dr Robert Roberts, ei gŵr; Mr Ifan Jenkins, Ffynnon Oer, a Mr Isaac Jenkins, Llundain, ei brodyr, a'r teulu oll. Gofynnwn hyn yn enw'r Arglwydd Iesu Grist . . .

Ar y clos mae Gwen yn ffoli ar y stwff gwyn dieithr o dan ei thraed. A'i bryd ar ddal yr ieir a'r ceiliog y mae Marged newydd eu rhyddhau o'u cwt, mae hi'n trotian rownd a rownd gan ledu ei breichiau pwt a gwichal mewn llawenydd wrth eu gweld yn ysgwyd eu hadenydd a gwasgaru'n grac. Gwena Morgan a Marged ar ei gilydd wrth weld Rhys yn llacio'i dei a chlirio'i lwnc wrth geisio magu plwc i gyfarch Martha.

– Shwt wyt ti'r bore 'ma, Martha?

– Iawn diolch, Rhys.

Ac i mewn â hi'n swta ffroenuchel i'r beudy heb sylwi ar ei wep siomedig. Does neb yn sylwi arno yntau'n ei dilyn, ymhen ychydig, am fod Bet y Post yn cyrraedd gan ganu cloch ei beic yn smala. Ond mae hi'n difrifoli'n sydyn ac yn gwneud hen swch fach weddus wrth weld yr hers a'r gambo.

– Ma'n nhw wedi cyrra'dd 'te . . . Druan fach â Katie . . .

Ac yna mae hi'n llonni drwyddi, ei llygaid mochyn yn disgleirio yn yr haul gaeafol.

– Nawr'te, ma' 'da fi rwbeth spesial iawn fan hyn!

Mae hi'n esgus ymbalfalu yn ei bag, yn tynnu amlen felen allan ac yn ei chwifio'n ddireidus.

– Teligram! O Lunden!

– Diolch, Bet.

Fe ymddangosodd Esther yn ddisymwth. Mae hi'n cipio'r amlen o law Bet, yn ei chuddio o dan ei siôl ac yn mynd yn ôl i'r tŷ. Mae Bet yn codi'i haeliau ar Marged Ann a Morgan, sy'n gwenu'n ddiniwed arni.

Yn y beudy mae Martha'n rhedeg ei llaw yn dyner ar hyd bola chwyddedig Blacen heb sylwi ar Rhys yn ei gwylio'n gariadus o'r cysgodion.

Ac yn y gegin mas mae Esther yn rhoi'r teligram i Ifan ac yn rhwbio'i dwylo ar hyd ei bola chwyddedig.

Erbyn y prynhawn, ildiodd yr eira i'r glaw mân. Mae mynwent Brynarfor yn foddfa lwyd fel yr awyr uwchben a'r môr islaw, ac mae clwstwr du o ymbaréls a dillad galar o gwmpas bedd agored Katie.

>   – 'Oll yn eu gynau gwynion,
>   Ac ar eu newydd wedd,
>   Yn debyg idd eu Harglwydd
>   Yn dod i lan o'r bedd.'

Er gwaethaf neges ddyrchafol yr emyn, mae'r canu'n lleddf.

*

– *Caught you red-handed, you little Irish hooligans!*

Llwydda Annie i roi clipen i glust crwtyn bach gwritgoch cyn iddo ddianc gyda'i frawd drwy ddrws y siop, yn llwythog â bisgedi a chaws.

– *Next time I'll wring your dirty little necks!*

Maen nhw'n chwerthin wrth redeg ar draws y stryd a moelyd y trugareddau a osododd Cohen mor ofalus y tu allan i'w siop, nes bod llestri a lampau a fframiau lluniau'n deilchion a gwydr yn drwch ar hyd y pafin. Diflanna'r ddau o dan bont y rheilffordd wrth iddo ymddangos.

– *You scoundrels! I get the police after you!*

Mae dagrau yn ei lygaid.

– *We have to watch them all the time, Mrs Jenkins, or they destroy all we have.*

– *I was out the yard . . . I thought Dan . . .*

Yn sydyn mae hi'n rhuthro'n ôl i'r siop ac i mewn i'r storws lle y mae Dan yn chwyrnu cysgu ar bentwr o sachau.

– Dihuna'r pwdryn!

Y gic yn ei ben-ôl a'r glatshen ar draws ei ben sy'n ei ddihuno.

– Ma' diogi'n dy fyta di, grwt! Aros di nes daw dy dad sha thre!

– Olreit, olreit!

Ddeng eiliad yn ddiweddarach mae Dan y tu ôl i'r cownter yn rhwbio'i glust yn bwdlyd. Ond pan gyrhaedda ei fodryb fe wena arni'n deg.

– Anti Grace! Shwt y'ch chi?

– Gad dy seboni, Daniel! Beth 'nest ti i stopo'r cryts 'na? O't ti'n cysgu, fel arfer, medde Cohen.

20

– Mam sy'n 'y nreifo i'n rhy galed. Gwedwch wrthi . . .

– Hen bwdryn bach hunanol wyt ti. 'Sdim ots 'da ti am neb, dim ond i ti ga'l arian yn dy boced a llonydd i neud fel lici di. Ie, Daniel Jenkins, dy Anti Grace, o bawb, sy'n rhoi pryd o dafod i ti! Nawr'te, Annie, cer i moyn dy got.

– I beth?

– Wyt ti a fi'n mynd mas i siopa. I Oxford Street – ne' Bond Street falle.

– Shwt alla i?

– Gwed wrthi, Dan.

Mae Dan yn gwgu'n bwdlyd unwaith eto ond yn penderfynu chwarae'r gêm.

– Ie, cerwch chi! Fe edrycha i ar ôl y siop. Dim ffwdan . . .

Mae Grace yn pwyntio'i bys fel saeth i'w ysgwydd.

– A dim nonsens! Wyt ti'n addo?

Un gipolwg ar wyneb ei fam, un arall ar wyneb ei fodryb, ac mae Dan yn addo.

*

Festri capel bach Brynarfor, a'r wledd angladdol a baratowyd gan y chwiorydd. Dyma Bet y Post yn fusnes i gyd, yn gwibio rhwng y galarwyr fel picwnen fishi.

– Dewch i ishte, Esther fach. Ddylech chi ddim fod ar 'ych tra'd fel hyn. Ma' golwg wedi blino arnoch chi. On' bydd hi'n neis pan fydd y cwbwl drosodd? Ma' pawb yn becso amdanoch chi – wel, a chithe'r oedran y'ch chi . . . Dr Roberts! Shwt y'ch chi ers blynydde? Bet Williams odw i. Fe gwrddon ni flynydde 'nôl yn angladd 'ych tad-yng-nghyfreth. Ma' hi'n whith sobor ar ôl Katie, druan fach. Ody wir . . . Isaac! Shwt wyt ti, Isaac bach? 'Na beth mowr bo' Katie wedi mynd, ontefe? Ie wir, druan fach â hi. Yn angladd dy dad y gweles i hi ddwytha. O'dd golwg bigfain arni, druan . . . Tr'eni na alle Annie fod 'ma – a Dan – a Jane, wrth gwrs. Nhw'u tri yn goffod gwitho'n galed yn y Dairy, siŵr o fod . . .

– Odyn glei. Ma' hi'n fishi iawn 'na'r dyddie hyn . . .

*

21

Mae siop y Dairy'n wag. Does dim i'w glywed ond tician y cloc ar y wal a bysedd Dan yn tap-tap-tapio ar y cownter. Sylla'n freuddwydiol drwy'r ffenest ar Cohen yn gorffen brwsio'r pafin ac ailosod ei drugareddau'n ofalus wrth ddrws ei siop. Yna fe dry ei lygaid at y til mawr cerfiedig sydd ar y cownter o'i flaen. Cwyd ei fysedd a'u chwarae'n ysgafn yn ôl ac ymlaen ar hyd y botymau fel petai'n canu'r piano. Yna – ping! Mae drôr y til ar agor ac mae Dan yn cydio mewn llond dwrn o arian mân ac yn eu stwffio i boced ei drowsus. Yna fe wthia'r drôr ynghau â chlep. A gwenu . . .

*

Machlud haul mis Chwefror dros Fae Ceredigion, a'r ddau frawd, a Pero ffyddlon wrth eu sodlau, yn camu dros y sticil ac yn cerdded ar hyd y llwybr uwchben y clogwyn. Islaw iddynt mae bae creigiog Gilfach yr Halen, a'i odyn galch a'i bistyll chwyrn, ei ogofeydd a'i byllau dyfnion. I'r de mae traeth Cei Bach a phenrhyn bras Cei Newydd; i'r gogledd, yr arfordir gwastad rhwng Aberaeron a Llannon, ac yn y pellter, Cader Idris a Phen Llŷn yn toddi'n borffor i'r awyr las. Sylla'r ddau ar hyd llwybr y machlud draw at y gorwel. Mae Isaac yn sibrwd . . .

– Jane yn fam . . . Ma' hi'n anodd credu . . .

– Ody glei . . .

Distawrwydd hir, heb ddim ond y gwylanod yn ei dorri, cyn i Isaac sibrwd eto . . .

– Megis ddoe ontefe . . .

– Beth?

– Ninne'n tri – ti a fi a Katie – yn blant. Ti'n cofio'r ddamwen ga'th hi? Fan hyn yn rhwle – pan gwmpodd hi o'r gambo a bwrw'i phen.

– Ti'n cofio'r ofon gethon ni? Gwa'd yn pistyllo a hithe'n sgrechen fel mochyn.

– A'r goten gethon ni 'da Dat!

– O'n ni'n 'i haeddu hi. Jawch, allen ni fod wedi'i lladd hi!

– Katie, druan. Pwy feddylie y bydde babi'r teulu'n marw o'n bla'n ni'n dou.

Mae Isaac yn ochneidio.

– Pwl o hireth, Isaac bach?

– Ie glei. A chenfigen 'fyd.

– Cenfigen!

– Bachgen, bachgen, wyt ti'n sylweddoli mor lwcus wyt ti'n ca'l byw fan hyn?

– Newiden i le â ti unrhyw bryd!

– Newid hyn i gyd am Lunden?

Mae Ifan yn gwenu, yn tynnu'i gwdyn baco o'i boced ac yn llenwi'i bibell yn hamddenol.

– 'Mond tynnu dy goes di, 'chan. Cadwa di dy balmant aur i ti dy hunan.

– Ie! Y 'Palmant Aur'! Weda i 'thot ti, ma' mwy o aur yn llwybyr y machlud 'na dros y môr.

– Ond so fe'n talu bilie! So fe'n rhoi bwyd ym molie 'mhlant i! Ma' croeso i ti ga'l shwt aur diwerth!

Yng nghegin Ffynnon Oer mae Esther yn llygadu Robert sy'n syllu'n benisel i'r tân. Mae'r fflamau'n rhoi gwawr oren i'w wallt a'i wyneb, ac i'w ddwylo, sy'n gafael yn dynn ym mreichiau'r gadair.

– Daw eto haul ar fryn, Robert bach. A mae e'n berffeth wir – bod amser yn gwella pob clwy, a bod bywyd yn mynd yn 'i fla'n er gwaetha profedigaethe. Ond fe weda i hyn – fydde hi'n haws 'se plant 'da chi.

Gweld Robert yn tynhau ei afael ym mreichiau'r gadair sy'n peri i Esther ddifaru siarad mor blaen. Does dim i'w wneud ond troi'r stori. Mae hi'n tynnu'r teligram o boced ei brat ac yn ei ddangos i Robert.

– Rhyfedd bod hwn wedi dod heddi, o bob dwyrnod.

Mae Robert yn ei ddarllen ac yna'n ei blygu'n ofalus a'i rhoi'n ôl yn ei llaw.

– Da iawn . . . Dwi'n falch . . . Yn falch bod popeth drosodd.

Mae Esther yn gwenu'n drist arno wrth redeg ei dwylo dros ei bola.

– Drosodd? Megis dechre y'n ni, Robert bach . . .

Cyrhaeddodd y brodyr y clos. Mae Marged Ann yn gorffen cau'r hwyaid a'r ffowls am y nos ac yn canmol yr hen Bero blinedig cyn cario basgedaid o wyau i'r tŷ. Mae Ifan yn taro'i bibell yn hamddenol yn erbyn wal y twlc ac yn llygadu'i frawd, sy'n eistedd ar y fainc lechen.

– Ti'n gwbod, Isaac, fe fydda i wrth 'y modd yn clochdar 'mod i'n frawd i filionêr!

– Gad hi, 'nei di?

– 'Cyfoethog? Bois bach, pidwch siarad! Ma' Isaac 'y mrawd yn diferu o arian!'

– Gad hi, wedes i!

– A beth wyt ti'n 'weud amdana i wrth dy ffrindie swanc yn Llunden?

– *My brother is a rich farmer* . . .

– *Big farm is* Ffynnon Oer*!*

– *Cold Well, dear friends, Cold Well.*

Mae hi'n iechyd gweld y ddau'n chwerthin gyda'i gilydd am y tro cyntaf ers blynyddoedd. Ond yn sydyn mae Ifan yn difrifoli. Sylla ar y tŷ cerrig ar draws y clos, ar adlewyrchiad pelydrau oren yr haul yn ffenestri'r llofft, ar y mwg sy'n dod o'r simdde a'r golau gwan sy'n treiddio o ffenest fach y gegin.

– Ie . . . Macyn poced o le. A hwnnw ar fenthyg.

– Ifan, paid â dechre . . .

– Ti'n iawn. Rhaid pido codi hen grachen.

Mae Isaac yn ei wylio'n stwffio'i bib i'w boced ac yn brasgamu ar draws y clos, a Pero'n dynn ar ei sodlau.

*

Ffarwelia Dan â chwsmer cyn ysgwyd yr arian sydd yn ei law yn feddylgar. Does dim rhaid iddo bendroni'n hir. Mae cloch drws y siop yn tincial ac fe hwylia ei fam a'i fodryb i mewn yn llwythog gan fagiau a pharseli. Cyn i'r gloch ddistewi mae drôr y til wedi agor – ping! – a'r arian yn tincial i mewn iddi'n rhaeadr ddisglair.

– Y'ch chi'n ôl 'te . . .

Mae Dan yn gwenu'n rhadlon arnynt wrth gau'r drôr.

– Odyn – yn dipyn tlotach! Diolch i'n annw'l whâr!

– Dangos dy hat iddo fe, Annie!

Mae Dan yn dal i wenu wrth i'w fam agor bag *Dickens & Jones* i ddatgelu het fach lwyd ac arni bluen fawr, las.

– Neis iawn, wir . . .

– Wel gwisga hi!

Mae Dan yn dal i wenu wrth weld y bluen fawr yn hongian dros wyneb crychog ei fam. Hwyaden sy'n dod i'w feddwl . . .

– Fel gwedes i – neis iawn wir . . .

*

– Crwtyn cydwybodol iawn yw Daniel ni.

Gwyn y gwêl y frân, meddylia Robert Roberts, wrth syllu ar draws y ford ar wyneb blinedig Isaac yng ngoleuni'r canhwyllau. Ond, yn ôl ei arfer, nid yw'n dweud yr hyn sydd ar ei feddwl.

– Mi 'neith Daniel Jenkins 'i ffortiwn rhyw ddydd. Yn union fel 'i dad!

Mae pawb ond Isaac yn chwerthin. Mae Lizzie'n rhoi pwnad i John, sy'n clirio'i lwnc yn nerfus.

– Wncwl Isaac, pwy, heblaw Dan, sy'n gwitho yn y Dairy'r dyddie hyn?

– Neb. Fydda i'n falch pan ddaw Jane 'nôl aton ni.

Mae llygaid pawb yn troi at Esther. Daeth ei thro hithau i glirio'i llwnc.

– Fydd hi 'da chi whap. Fe fydda i a Martha'n mynd i moyn y babi fory.

Martha sy'n torri ar y distawrwydd llethol.

– Chi'n gwbod beth wedodd hi yn y teligram? 'It's arrived'! Ife crwt ne' groten ga'th hi, gwedwch?

Marged Ann yw'r unig un sy'n gwenu. Mae Esther ar ei thraed yn sydyn, yn casglu'r llestri'n chwyrn.

– Martha! Cer mas at Blacen! Marged! Dere i roi help llaw! Dewch, siapwch hi, bawb!

Ac mae pawb yn ufuddhau.

*

– How many times do I have to tell you? I don't want him! So take him away and leave me alone!

Does dim i'w wneud ond ufuddhau i'r groten galongaled sydd newydd droi at y pared, a chario'r bwndel bach o'r stafell.

*

25

Erbyn hyn mae John a Lizzie wedi cilio i'w llofft, ac yn gorwedd ar eu gwely a'u breichiau am ei gilydd, yn gwrando'n amyneddgar ar Gwen yn ildio'n raddol i Huwcyn Cwsg. Mae John yn hepian cysgu er gwaethaf dannod Lizzie na phwysodd ddigon ar ei ewythrod. Fe dry ei gefn arni'n gysglyd.

– Gad lonydd i fi, Lizzie . . .

– Iawn! Fe gei di berffeth lonydd!

Mae hi'n codi ac yn rhuthro drwy ddrws y llofft ac i lawr y staer i'r gegin sydd, yn ei golwg hi, yn bictiwr o ddiflastod. Esther yn crasu dillad wrth y tân, Ifan yn craffu ar y *Welsh Gazette*, Isaac yn byseddu 'Llef' ar fraich ei gadair, Marged Ann yn datrys clymau pellen o wlân a Robert yn polisho'i sbectol â'i hances wen er mwyn pipo dros ysgwydd Morgan ar ei *Human Anatomy*.

– A be 'di dy hanas di'r dyddia hyn, Morgan bach? Wyt ti'n dal i neud yn dda tua'r ysgol 'na?

– Yn weddol fach, Wncwl Robert . . .

Mae Marged yn gwenu'n wybodus ar ei mam.

– Ac isio bod yn feddyg fath â finna, meddan nhw.

– 'Na beth licen i . . .

Yn sydyn mae'r *Welsh Gazette* yn syrthio'n bentwr anniben ar lawr, a'r bibell yn cael ei chnocio'n dwll ar ymyl y grât.

– Ond ma' fe'n dyall na allith e ddim! Na allwn ni byth â'i hala fe i'r coleg!

Mae llygaid pawb ar Morgan, sy'n cau ei lyfrau'n ofalus ac yn casglu'r papurau nodiadau sy'n drwch dros y ford. Robert yw'r unig un sy'n mentro herio'r distawrwydd.

– Ifan, mae *scholarships* ar gael i hogia clyfar fath â Morgan. Ac mi wna i 'ngora i helpu. Cael gair efo hwn a'r llall . . .

– Allwn ni byth! A 'na ddiwedd arni!

Cafodd Ifan hen ddigon. Poera i'r tân cyn codi'n drafferthus o'i gadair a dechrau brasgamu'n ffrom i fyny'r staer. Ond fe oeda wrth weld John yn sefyll ar y ris uchaf, yn edrych i lawr arno. Mae eu llygaid yn cwrdd, ond does dim yn cael ei ddweud wrth i Ifan lusgo heibio i John a chau drws ei stafell wely â chlep sy'n deffro Gwen.

Yn sŵn wylofain ei nith, mae Morgan yn tynnu'i sbectol, yn ei phlygu'n ofalus a'i gosod yn ei chasyn bach llwyd. Sylla ar ei lyfrau caeedig cyn codi a cherdded allan.

Yng ngwyll y beudy, mae Blacen yn breifad ei phoen.

– Blacen fach! Beth yw'r holl ffŷs? Dim ti fydd y gynta na'r ddwytha i eni llo!

Mae Martha'n sylwi ar Morgan yn cripad i mewn yn benisel.

– A! Y Doctor Morgan Jenkins! Blacen, wyt ti mewn dwylo da.

– Paid â neud sbort am 'y mhen i.

– 'Mond tynnu dy goes di.

– 'Sdim gobeth 'da fi fynd yn ddoctor! Ma' Dat newydd weud!

Yn y gegin, tro Esther yw hi i dorri ar y tawelwch. Mae hi'n gorffen plygu'r dillad cras ac yn syllu ar ei dwylo cyn siarad.

– Robert, Isaac, licen i ddiolch i chi, o waelod calon, am fod yn gefen inni, am helpu gyda'n dyledion, am dalu i hala Jane i *Nursing Home* . . .

Mae Isaac yn gwenu'n nawddoglyd.

– Twt, neud y gore dros Jane o'dd Robert a finne. A fe ddaw'ch tro chithe 'fyd, John a Lizzie. Unrhyw beth alla i neud i helpu.

– A finna . . .

Dyma gyfle ar blât i Lizzie.

– A gweud y gwir – licen ni'n lle bach 'yn hunen . . .

Mae hi'n llygadu Esther sy'n cydio mewn hosan a dechrau ei phwytho'n ffyrnig.

– Lle bach i ni'n hunen – yn Llunden.

Mae llygaid Lizzie'n fflachio fel y coed tân sy'n llosgi crac-crac-crac. Syllu i'r tân a wna John, yn union fel y gwna ei dad mor aml y dyddiau hyn. Mae llygaid Marged Ann yn gwibio'n ôl a blaen rhwng ei mam a'r gweddill. Robert sy'n siarad.

– 'Dach chitha'ch dau, fath â'ch ewyrth Isaac, yn awchu am yr aur ar strydoedd Llundain!

– Sawl gwaith ma'n rhaid i fi weud? Weles i ddim aur ers ugen mlynedd!

– Ond mae o yno, 'ntydi, Isaac? Digonadd ohono. Dim ond i ddyn chwilio'n ddigon dyfal. Ac mi ddaw John a Lizzie o hyd iddo, dwi'n siŵr . . . Yn Covent Garden, ella . . .

Mae Robert yn llygadu Isaac sy'n ymsythu ac yn gosod ei fodiau yn nhyllau botymau ei wasgod.

– Ie, wel, man a man i ni weud wrthoch chi. Ma' Robert a finne'n meddwl prynu rhyw le bach – yn Covent Garden.

– 'Dan ni am agor caffi. Cynnig brecwast i hogia'r farchnad. Mi fydd angan tipyn o staff arnon ni.

– Ma' Dan ni'n dangos diddordeb.

– A be amdanoch chi, John a Lizzie?

Ateb Lizzie yw mynd at y ddau a'u cofleidio. Mae John yn llygadu'i fam, sy'n dal i bwytho'n ffyrnig. Mae Robert hefyd yn llygadu Esther.

– Mi fydd angan howscipar arna' inna . . . Gwaith i Martha, ella? Neu Marged Ann?

Nid yw bysedd Esther yn arafu dim, er iddi bigo'i bawd nes bod gwaed ar yr hosan lwyd. Does ganddi mo'r galon i edrych ar wyneb siomedig ei merch ieuengaf.

Awr yn ddiweddarach, mae'r cloc mawr yn taro wyth ac mae'r lampau olew sy'n hongian fan hyn a fan draw yn taflu stribedi melyn cris-croes ar draws y clos. O ffenest y llofft mae Ifan yn gwylio John yn llwytho bagiau ei ewythrod ar y gambo. Gwêl Robert yn stwffio arian i law Esther. Gwêl Esther yn cofleidio John. Petai'n mentro o'i gyrion arferol, fe glywai Ifan yr hyn sy'n cael ei ddweud.

– Fyddwch chi'n 'yn gadel ni cyn hir, 'te. Ti a Lizzie a Gwen fach yn mynd i Lunden . . .

– Do's dim dewis 'da ni, Mam.

– Ma'r un peth yn wir amdana i, John bach. Ma'n rhaid i fi odde'ch colli chi.

Mae 'na dri yn y beudy, yn gwrando ar y ffarwelio ar y clos. Martha, yn maldodi'r hen Flacen aflonydd; Morgan, yn chwarae â'r lamp olew sydd ar sil y ffenest, a Marged Ann yn colli'r frwydr yn erbyn ei dagrau.

– Chân' nhw ddim 'yn hala i i Lunden! Chân' nhw ddim!

Mae Morgan yn troi'r olwyn fach sy'n rheoli'r pabwyr yn ôl a blaen, yn ôl a blaen. Mae golau'r lamp yn codi ac yn gostwng, yn codi ac yn gostwng.

– 'Mond dros dro fydde fe, Marged fach. Morgan, gad lonydd i'r lamp 'na!

– Ond ma' pethe ofnadw'n digwydd yn Llunden! Drychwch beth ddigwyddodd i Jane! Wy'n gweud wrthoch chi, chân' nhw'm 'yn hala i 'na! Fydde'n well 'da fi farw! Yn sydyn mae'r lamp yn diffodd yn llwyr.

Ar doriad gwawr, mae hi'n gystadleuaeth rhwng Martha a'r ceiliog pwy yw'r mwyaf blin. Chafodd y naill na'r llall fawr o gwsg. Pero sy'n dioddef llid Martha wrth iddo wibio'n wyllt yn ôl a blaen ar draws y clos, rownd a rownd y gambo, nes peri i'r ferlen fach ddiamynedd sy rhwng y siafftiau anelu cic sydyn ato bob tro y daw o fewn ei chyrraedd. Mae John yn gwenu wrth osod bagiau ei fam a'i chwaer yn y gambo.

– Martha fach, wyt ti 'di codi'r ochor rong i'r gwely'r bore 'ma!
– Fues i'm yn agos at y gwely!

Mae hi'n gwgu arno ac yn brasgamu i mewn i'r beudy. Yno, yn y gwyll, a sawr cysurlon gwair ac anifeiliaid yn ei ffroenau, mae hi'n gweld y rheswm dros ei diffyg cwsg yn ymdrechu i sefyll ar ei goesau bach sigledig. Sylla arno'n llawn rhyfeddod, ac ar ei fam sy'n ei lyfu'n frwdfrydig nes peri iddo syrthio glatsh i'r llawr a gorwedd yno'n ddiymadferth.

– Shwt y'ch chi'ch dou fach erbyn hyn? Wedes i y bydde fe'n werth y ffwdan i ti, on'dofe, Blacen fach?
– Un bach deche yw e, wir!

Daw Ifan o'r cysgodion a gwenu'n falch ar ei ferch a'i anifeiliaid.

Daeth yr amser i ffarwelio. Mae Esther yn eistedd yn y gambo gyda John, yn ei chlogyn llwyd a'i het a'i menig gorau, gan bregethu wrth Morgan a Marged Ann.

– Cofiwch chi fihafio! A thynnu'ch pwyse fel pawb arall!

Daw Lizzie o'r tŷ, a Gwen ar ei braich. Mae hi'n rhoi parsel mewn papur brown yn llaw Esther.

– Cerwch â hon . . .

Gŵyr Esther beth yw cynnwys y parsel. Siôl wen; siôl Gwen fach, yr un a weuodd mor gywrain ar ei chyfer adeg ei geni, ddwy flynedd yn ôl.

– Babi Jane ddyle 'i cha'l hi nawr. Cofiwch fi ati, a dewch 'nôl yn saff . . . Nawr'te Gwen, gwed gw'bei wrth Mam-gu . . .

Mae Gwen yn taflu'i breichiau am wddf ei mam-gu cyn llithro o afael ei mam a throtian pit-pat ar drywydd yr ieir. Pan ddaw Ifan a Martha o'r beudy draw at y gambo, mae llygaid Esther yn fflachio'n ddansherus ar ei gŵr.

– O! Ti wedi penderfynu dod i weud gw-bei!

Mae llygaid Ifan yn fflachio'n ôl yr un mor ddansherus.

– Wy 'di blino gweud gw-bei! Wrth Katie yn y fynwent ddo', wrth Isaac a Robert nithwr, ti a Martha'r bore 'ma! A John a Lizzie a Gwen fach fydd nesa! Ma'r gambo'n mynd a dod drw'r clos 'ma fel *bus* Cei Newydd!

Eiliad arall o dyndra cyn i Esther feddalu a gafael yn dynn yn ei gŵr ac i Martha ddringo fel ewig fach i'r gambo.

– Morgan! Gofala di am y llo 'na nawr!

– Iawn! Un bach cryf yw e, Dat! Gewch chi bris da amdano fe!

Daw Martha'n ôl fel ergyd o wn.

– Geith e lonydd i fod gyda'i fam am sbel!

– Dat bach, beth 'newn ni â merched Ffynnon Oer? Ma'n nhw'n rhy galon feddal i fod yn ffarmwrs!

Daw ateb Ifan fel cnul cloch yr eglwys.

– Ma' problem fowr 'da fi 'te. Achos dyw'r meibion s'da fi ddim isie ffarmo!

Clic ei dafod a '*Gee up*' yw ymateb John. Mae'r ferlen yn falch o gael symud o'r diwedd ac yn tynnu'r gambo at glwyd y lôn.

– *Yes, Mrs Bowles, Doctor Roberts will be back tomorrow . . . Yes, you can see him as arranged . . . Yes, a terrible tragedy – so young . . . Yes, I'll tell him . . . Goodbye, Mrs Bowles . . .*

Wrth roi'r *telephone* yn ôl ar ei fachyn mae Grace yn ysgwyd ei phen ar Robert sydd wrth ei ddesg, yn gorffen arwyddo pentwr o lythyrau.

– Odych chi'n siwr bo' chi'n ddigon da i witho fory? I wynebu Mrs Bowles a'i siort?

– Ydw, tad. Mae'n rhaid i fywyd fynd yn ei flaen. Reit, dwi ar fy ffordd . . .

Wrth edrych arno'n gwisgo'i got fawr a'i het a gafael yn ei ffon, meddylia Grace, fel y meddyliodd bob dydd o'r flwyddyn y bu'n gweithio iddo, mor greulon o olygus yw ei chyflogwr.

Yn siop y Dairy mae'r Parchedig William Jones yn ei elfen bregethwrol.

– 'Dach chi'n deud y gwir, Mrs Jenkins fach. Mi fydd Robert yn 'i chael hi'n anodd iawn dygymod â'i brofedigaeth fawr. Mi wn inna'n iawn am y boen o golli cymar. Ond mi oedd gin i rywun pwysig yn gefn i mi, rhywun oedd yn gwneud bywyd yn werth 'i fyw.

Gwasga law Hannah, sy'n codi ei llygaid yn eiddgar pan ddaw Dan a'i dad i mewn drwy'r drws.

– Isaac! Croeso'n ôl o'r wlad. O'n i'n dallt i'r cynhebrwng fynd yn iawn.

– Do wir . . .

– Deud o'n i wrth Mrs Jenkins rŵan, dwi'n bwriadu galw heibio i Robert heno. I gynnig rhywfaint bach o gysur iddo, druan . . .

Cip sydyn dros ei ysgwydd ac mae Robert yn curo'r drws yn ysgafn â blaen arian ei ffon. Try ei ben yn nerfus unwaith eto ac edrych i lawr y stryd fach ddistadl sydd, diolch i Dduw, yn wag. Mae'r drws yn agor a gwêl Vera'n gwenu arno, sgarff liwgar yn ei gwallt, minlliw coch yn gorlifo'i gwefusau, a'r llinellau duon o dan ei llygaid yn ymdebygu i gleisiau.

– *Welcome home, Doctor Roberts. I've been waiting for you . . .*

Un edrychiad nerfus arall, i fyny ac i lawr y stryd, ac mae Robert i mewn drwy'r drws, sy'n cau'n glep y tu ôl iddo.

*

Gorsaf Abertawe, a'r clepian drysau a'r hisian a'r gweiddi a'r chwibanu yn un atsain hir, barhaus. Drwy'r mwg a'r stêm, gwêl Esther Mrs Williams, Aeron View gynt, nawr o'r Mumbles, yn tuchan tuag ati.

– Mrs Jenkins fach! Shwt y'ch chi ers canto'dd! A beth y'ch chi'n neud fan hyn? A jiw, jiw, y'ch chi'n dishgw'l babi!

Does dim rhaid palu gormod o gelwyddau. Cyrhaeddodd trên Llundain. Rhaid ffarwelio'n ddiseremoni a gwthio drwy'r dorf a'r stêm i chwilio am sêt.

Drwy'r mwg sy'n chwyrlïo o'i sigâr, gwerthfawroga Robert yr olygfa o'i flaen. Mae Vera'n sefyll ar lwyfan bach isel o flaen y ffenest, y llenni melfed coch yn gefnlen iddi. Coch yw'r gŵn gwisgo sidan sydd amdani. Coch yw gorchudd *chintz* y gwely a'r *chaise longue* a'r clustogau swmpus, a thafla'r lampau a'r canhwyllau wawr gynnes, gochlyd dros y cyfan.

Mae Robert yn codi'r gwydryn brandi at ei wefusau, yn sipian diferyn ac yn ei droi o gwmpas ei dafod yn werthfawrogol cyn ei lyncu. Teimla'r cyffro cyfarwydd. Mae'r sioe ar gychwyn.

Does dim i'w wneud ond eistedd yn amyneddgar. Erbyn hyn, dim ond un teithiwr arall sy'n rhannu'r cerbyd â hwy, ei draed ar y sedd gyferbyn iddo, ei fysedd yn chwarae â'i fwstásh, a'i drwyn yn ei bapur newydd. Mae Esther yn pwyso'i breichiau dros ei bola mawr ac yn cau ei llygaid. Mae Martha'n syllu ar y teithiwr gan ryfeddu at ei debygrwydd i Lloyd George. Mae'n rhaid ei fod yn perthyn iddo rywsut.

Mae Vera'n datod y sgarff a'r cribau a'r pinnau sy'n dal ei gwallt, ac mae hwnnw'n syrthio'n dresi cringoch dros ei hysgwyddau. Mae hi'n dechrau agor gwregys ei gŵn gwisgo, ond, ar ôl taflu golwg sarhaus at Robert, mae hi'n ailfeddwl, ac yn ei glymu unwaith eto. Cwyd y gŵn yn raddol i ddatgelu esgid ddu ac iddi sawdl uchel; yn uwch eto i ddatgelu coes hir mewn hosan sidan; ac yn uwch fyth i ddatgelu gardysen goch. Yna gollynga'r gŵn i lawr at ei thraed unwaith eto a thaflu cusan at Robert cyn ailafael yn ei gwregys. Â medrusrwydd disgybledig stripwraig – un o oreuon Soho – mae hi'n agor y gŵn yn araf . . .

O'r diwedd, gadawyd y fam a'r ferch ar eu pennau'u hunain. Ymunodd neb â hwy ar ôl i Lloyd George wisgo'i het a chasglu'i bapurau a diflannu'n ddigyfarchiad drwy'r drws. Cyn gynted ag y symuda'r trên unwaith eto mae'r ddwy ar eu traed, Martha'n agor ei bag ac Esther yn agor botymau ei chot.

Mae Vera'n sefyll o flaen Robert yn ei dillad isaf o sidan gwyn. Mae hi'n cicio un esgid ac yna'r llall oddi ar ei thraed cyn mynd ato a rhoi ei throed i bwyso ar ei lin. Mae hi'n anwesu ei choes yn rhythmig, i fyny ac i lawr, i fyny ac i lawr, cyn tynnu'r gardysen a'r hosan a'u taflu dros ei hysgwydd. Gwna'r un peth â'r goes arall, â'r gardysen arall, â'r hosan arall.

Does dim yn cael ei ddweud. Rhaid canolbwyntio ar y dasg ac ar gadw cydbwysedd wrth i'r trên godi stêm. Mae Esther wedi codi ei sgert ac mae Martha'n ymbalfalu am y rhwymyn ac yn dechrau ei ddatod.

Chwarae cath a llygoden â Robert a wna Vera. Cyn gynted ag y ceisia gyffwrdd ynddi mae hi'n troi ei chefn arno ac yn ei orchymyn i gadw draw. Gŵyr yntau'n iawn beth yw'r dewis sydd ganddo. Ufuddhau i'w gorchmynion neu gael ei gosbi'n llym. Gan ei fod yn dyheu am gosb, gafaela ynddi'n chwyrn, ei thynnu ato a'i chusanu.

Mae Martha wedi llwyddo i ddirwyn y rhwymyn i'r pen ac mae'r glustog yn syrthio i'r llawr.

Unwaith . . . Dwywaith . . . Teirgwaith . . . Mae Vera'n codi'i chwip am y pedwerydd tro ac yn taro cnawd noeth Robert, sy'n griddfan ei foddhad.

*

Mae'r ceiliog mewn gwell hwyl erbyn hyn. O'i orsedd ar drawst uchel gall weld ei dylwyth dedwydd yn pigo, pigo'n ddyfal ymhell islaw ar lawr y sgubor. Mae'n clochdar ei foddhad yn huawdl. Coc-a-dwdl-dŵ!
 – Coc-a-dwdl-dŵ!
 Gwen sy'n ei ddynwared yn berffaith wrth chwilota am wyau gyda Lizzie. Ond yn sydyn fe glyw Lizzie sŵn arall, sŵn llefain torcalonnus, yn dod o ben draw'r das. Gŵyr yn iawn pwy sy 'na.
 – Marged fach, beth sy'n bod?
 – Paid â gadel iddyn nhw'n hala i i Lunden!

*

33

– *Will I see you tomorrow?*
  – *No . . .*
  – *Why not?*
  – *We have to be very careful. I'm newly bereaved. I have to play the part. I'll contact you soon.*
    – *You do that, Doctor.*
  Nid yw Vera'n gweld yr olwg ryfedd ar ei wyneb wrth iddo ymadael. Nid yw yntau'n gweld ei hymateb ystrywgar hithau wrth iddi godi'r hances wen ac arni'r llythrennau ROR a'i rhwbio yn erbyn ei boch.

Dwsin o fabis mewn dwy res o welyau bach haearn, unffurf, pob un â'i gwrlid gwyn. Mae nyrs fach ifanc yn arwain Esther a Martha at y gwely bach pellaf.
    – *'Ere's the Jenkins baby . . .*
  Mae hi'n eu gadael yn ddiseremoni ac fe syllant ar ben bach crwn, ar wyneb bach crychlyd, ar ddyrnau bach tyn – ar gerdyn bach glas sy'n datgan mai *Baby Jenkins* yw hwn. Heb yn wybod iddyn nhw, mae Jane yn syllu arnynt hwythau, o hirbell. Cwyd Esther ei phen a gwêl ei merch fel ysbryd ym mhen draw'r coridor.
    – Jane fach, shwt wyt ti?
  Daw Jane atynt a derbyn cusan ei mam a'i chwaer yn oeraidd.
    – Ma' babi pert 'da ti.
    – Mam, ma'n rhaid i ni siarad. Trefnu pethe . . . Martha . . .
    – Fe arhosa i fan hyn, gyda – beth yw 'i enw fe?
    – Ifan. Ar ôl 'i da'-cu.
  Mae hi'n camu i lawr y coridor ac Esther yn llusgo ar ei hôl. Mae Martha'n plygu dros ei nai ac yn sibrwd wrtho.
    – Shwt wyt ti, Ifan bach?

    – Mam, sawl gwaith ma'n rhaid i fi weud? Alla i byth â gweud pwy e!
    – Ond ma' 'da fe gyfrifoldeb at 'i fab!
    – O'n i'n meddwl 'mod i wedi neud y peth yn berffeth glir o'r dechre. 'Sdim hawl 'da'r dyn dros 'y mabi i!
  Mae hi'n syllu ar ei mam.

34

– Y'ch chi wedi ailfeddwl on'd y'ch chi?

– Nagw! Isie'r gore i'r crwt bach ydw i.

– A finne! Ma'n rhaid iddo fe ga'l bwyd yn 'i fola, dillad ar 'i gefen . . .

– Ma' isie rhwbeth pwysicach arno fe, Jane. Cariad. A wy'n addo hyn i ti, fe geith e lond gwlad o hwnnw, gymint alla i a phawb yn Ffynnon Oer 'i roi. Nawr'te, fe ddaw Martha a finne i'w moyn e bore fory, a mynd â fe gatre'n saff.

Oriau mân y bore, ac mae rhywun mewn gŵn nos gwyn yn crwydro'n droednoeth rhwng y rhesi o fabis gan anelu'n syth at y gwely bach pellaf. Mae hi'n codi'r babi, yn ei siglo'n dyner yn ei breichiau ac yn sibrwd drwy ei dagrau.

– Falle y dealli di rhyw ddwyrnod, Ifan Bach . . . Falle g'nei di fadde i fi . . . Falle y gallwn ni fod 'da'n gilydd, rhyw ddwyrnod . . . Achos fi yw dy fam di . . . Fi pia ti – cofia di hynny . . . Fi pia ti . . .

MAWRTH, 1921

Mae Marged Ann yn taflu carreg at yr iâ sy'n gorchuddio'r cafn dŵr ac yna'n syllu ar y darnau mawr, miniog, fel cwareli gwydr, a wasgarwyd o gwmpas ei thraed. Gafaela mewn un a rhedeg ei bys drosto'n ysgafn cyn ei hyrddio â'i holl nerth i'r llawr nes ei fod yn chwalu'n gawod o bowdrach mân. Mae ei dwylo'n brifo gan oerfel ac mae ei phen yn dost ar ôl noswaith o droi a throsi ac o ymdrechu i gelu'i phoendod rhag dihuno Martha.

Gweld Gwen gynnau roddodd y ceubosh ar y cyfan. Gwen yn ei chlogyn a'i bonet fach goch, yn magu Jemeima o dan ei chesail wrth sglefrio ar draws y clos. Bu'n rhaid iddi droi i ffwrdd yn sydyn a dianc i guddio'r dagrau. Cuddio'r dagrau, gafael mewn carreg a chwalu'r iâ. Ond mae Lizzie'n deall yn iawn. Lizzie a afaelodd ynddi neithiwr a'i chofleidio. Lizzie oedd â dagrau yn ei llygaid gynnau. Lizzie sydd ar hyn o bryd yn helpu John i lwytho'r gambo ym mhen draw'r clos.

Y funud hon mae Marged yn dyheu am fod mor galed a dideimlad â'i thad, sy'n arwain y gwartheg o'r beudy at gât Cae Glas, heb gymryd arno ei fod yn gweld John a Lizzie'n llwytho'r gambo ym mhen draw'r clos.

Cafodd Ifan Bach ychydig mwy o gwsg nag Esther. Hi fu'n ei fwydo a'i fagu yn yr oriau mân; hi fu'n codi ei wynt ac yn newid ei gewyn; hi fu'n canu hwiangerddi iddo, yn gwrando arno'n cysgu am ychydig, yn dioddef ei sgrechen am hydoedd. Ond ar doriad gwawr, ildiodd yr ymladdwr bach i drymgwsg. Mae Esther yn ei fagu mewn siôl fawr wen, gan syllu drwy'r ffenest ar y gambo'n cael ei lwytho ym mhen draw'r clos.

Mae'r cloc mawr yn tician, tician ac yn taro wyth yn sydyn. Ond dyw Ifan Bach ddim yn cyffro ac mae Esther yn mentro ei osod yn ei grud o flaen y tân cyn tynnu papur punt o boced ei ffedog, ei osod mewn amlen, ac ysgrifennu 'Pob lwc i ti yn Llunden, Gwen fach, oddi wrth Mam-gu a Thad-cu Ffynnon

Oer' arni. Yna draw â hi at y dreser ac at y Beibl mawr. Rhwng ei gloriau trwm mae 'na bentwr o dystysgrifau. Tystysgrif genedigaeth Ifan Bach sydd ar y top.

Name of Child: Ifan Enoc Jenkins
Name of Mother: Jane Letitia Jenkins
Name of Father: Unknown

Mae Esther yn twrio nes dod o hyd i dair tystysgrif geni arall – un John, un Lizzie ac un Gwen. Mae hi'n gwthio'r tair i amlen fawr, yn ei selio ac yn ei gosod gyda'r amlen arall ar y ford. Yna aiff yn ôl i edrych drwy'r ffenest.

Wrth garthu'r beudy gall Ifan Jenkins glywed lleisiau ar y clos. Gwthia'i fforch i'r dom gydag arddeliad ffyrnig dro ar ôl tro ar ôl tro nes bod y whilber yn gorlifo. Saif i sychu ei dalcen ac i gael ei wynt ato – ac yna ildia i demtasiwn ac aiff i bipo drwy'r drws cilagored. Gwêl Gwen yn sglefrio dros yr iâ, ei bryd ar ddal y gath drilliw. Gwêl Marged Ann draw wrth y pwmp dŵr, yn pigo daffodils o'r clawdd cyfagos. Gwêl Morgan yn dod ati ac yn rhoi ei fraich amdani. Gwêl Martha'n dod â basgedaid o fwyd at y gambo. Clyw Lizzie'n diolch iddi. Ac yna fe glyw John yn datgan eu bod yn barod i gychwyn.

Mae pawb yn troi i edrych ar ddrws y beudy, ond does dim sôn am Ifan.

Pan ddaw John i mewn i'r gegin dyw Esther ddim yn ei gyfarch. Mae hi â'i chefn ato, yn brysur yn siglo'r crud. Ond pan ddaw ati a rhoi ei ddwylo ar ei hysgwyddau mae hi'n troi i wenu arno drwy'r hen ddagrau slei, ac yna'n gwasgu ei law yn dynn wrth roi'r ddwy amlen iddo.

– Y *certificates* i gyd . . . A rhwbeth i Gwen fach . . . A John – cofia di sgrifennu. Llythyr bach bob wthnos i weud yr hanes . . . A chofia fi at bawb, yn enwedig Jane . . . Gwed wrthi bod Ifan Bach yn iawn . . .

Does dim byd mwy i'w ddweud.

Mas ar y clos does dim cysuro ar Marged, yn enwedig pan ddaw John o'r tŷ ac ymdrechu i fod yn gomic.

– Marged fach, ddylet ti fod yn falch o ga'l 'yn gwared ni! 'Na beth wyt ti'n 'i feddwl, ontefe Martha?

– Ie glei!

– A Morgan – ti yw'r brawd mowr nawr. Gofala amdanyn nhw i gyd.

Cyn i Morgan ymateb mae pawb yn troi i edrych i gyfeiriad y beudy gan fod Ifan wedi ymddangos, a heb gymryd y sylw lleiaf o'i blant, yn gwthio whilbered o dom draw i'r domen. Mae John yn brasgamu ato gan estyn ei law.

– Dat – diolch am bopeth . . .

Cic i'r whilber yw ymateb Ifan. Eiliad o siom – ac mae John yn brasgamu am y gambo. Ond mae Ifan yn gweiddi arno, yn gafael yn dynn ynddo ac yn sibrwd drwy ei ddagrau.

– Pob lwc i ti, John bach . . . Pob lwc i chi'ch tri . . .

Cofleidio, eu breichiau am ei gilydd. A gwahanu. A John yn mynd i eistedd yn y gambo rhwng ei wraig a'i groten fach. '*Gee up*' gan Martha a chlic ei dannedd ac mae'r ferlen yn symud, gan dynnu'r gambo'n araf heibio i ffenest y gegin lle y cwyd Esther ei llaw yn drist arnynt, heibio i Morgan sy'n chwifio'i hances wen arnynt, heibio i Marged Ann sy'n rhoi posyn bach o ddaffodils yn llaw Lizzie. Dyw Ifan ddim yn codi ei law. Mae Pero yn ei llyfu.

*

Bore Sadwrn prysur yn Acton Street, a phobol yn mynd a dod o'r siopau yn llwythog â bagiau a basgedi, yn tytian yn ddiamynedd wrth orfod camu i'r gwter i osgoi'r plant sy'n chwarae *hopscotch* ar y pafin. Oeda ambell un i astudio'r llysiau sydd yn y sachau o flaen ffenest y Dairy neu i sgwrsio â Dan, sy'n cael smôc wrth gadw llygad barcud ar y nwyddau ac ar y rapscaliwns sy'n hofran o flaen siop gaeedig Isaac Cohen. Yn ôl ei arfer ar y Sabath aeth yr Iddew i'r Synagog gan adael teulu'r Dairy i warchod ei deyrnas fach ryfeddol.

Yn sydyn gwêl Dan ddau grwt rhacs yn pipo drwy'r llenni carpiog sy'n hongian dros y ffenestri, a gweidda arnyn nhw'n syth:

– *Clear off, you riffraff! Or I'll get the police!*

Mae'r bygythiad yn ddigon i beri iddyn nhw ruthro nerth eu traed bach noeth i lawr y stryd.

Yn y Dairy, mae Isaac yn troi olwyn fawr y tafellwr coch peryglus tra bod Annie'n pwyso cosyn o'r *Jenkins' Special* i'w chwaer ac yn gwrando arni'n adrodd yr hanes diweddaraf o Harley Street, sef bod Robert yn dod dros ei brofedigaeth yn syndod a'i fod yn gweithio yn y syrjeri bob dydd. Gwena Isaac yn wybodus y tu ôl i'r peiriant, cyn gosod y tefyll cig moch ar y cownter a thynnu'i ffedog wen. Mae Annie'n ei daclo'n syth.

– I ble wyt ti'n mynd?

– Mas.

– I ble?

– Ar fusnes.

Tynna'i het a'i got oddi ar y bachyn, a'u gwisgo, a chyda gwên fach swta ffarwelia â hwy a diflannu drwy'r drws. Mae ochenaid Annie'n ddigon o rybudd i Grace. Penderfyna newid y pwnc, a gostwng ei llais yn isel.

– A shwt ma' Jane?

– Ma' hithe'n syndod 'fyd, o styried.

– Gorwedd 'mla'n ma' hi'r bore 'ma, ife?

– Ie. Teimlo 'bach yn wan.

Gostynga'i llais yn is fyth.

– A'r babi? Shwt ma' fe?

– Yn iawn, yn ôl llythyr Esther ddoe. Ond yn 'u cadw nhw ar ddi-hun bob nos.

– Twt! Ma' nhw'n ddigon o growd i gymryd y baich.

Dyw Grace ddim yn sylwi ar edrychiad slei Annie. Beth ŵyr hon am fagu babi? A sôn am fabi, dyma Dan i mewn, wedi gorffen ei smôc.

– A shwt ma'n hoff fodryb i heddi 'te?

– Sebon, Daniel.

– Lico'ch cadw chi'n hapus. A gyda llaw, y'ch chi'n edrych yn smart iawn. Chi'n mynd i rwle spesial?

– Mas i de. At y Parchedig William Jones a Hannah. Gwed wrtha i Annie, beth alla i fynd 'da fi? Potyn bach o jam?

– Weden i bod Hannah'n ddigon melys fel ma' hi!

– 'Na ddigon, Daniel! Croten fach barchus i weinidog parchus yw Hannah!

Ar y gair, pwy sy'n dod drwy'r drws, ei het am ei ben, ei glogyn amdano a charthen a welodd ddyddiau gwell o dan ei fraich, ond Luther. Fe'i cyferchir yn gynnes ac aiff i eistedd yn drafferthus ar y stôl wrth ben pella'r cownter.

– Wel, gyfeillion, ma' Fe lan fan'na wedi bod mor garedig â gadel i fi ddihuno'r bore 'ma 'to. A mwy na 'ny, fe roiodd e'r garthen 'ma drosta i, yn gynnes neis. Mor rhyfedd yw ffyrdd yr Arglwydd . . .

– Pob un dros 'i hunan, a Duw dros bawb yw hi, Luther!

– Gwed ti, Dan bach, gwed ti . . .

Mae Grace wedi llwytho'i basged a thalu'r bil. Wincia Dan yn slei ar Luther.

– Enjoiwch 'ych te yn y Mans, Anti Grace! Ond cadwch chi lygad ar y Parchedig! Un dansherus yw e am y menwod, medden nhw!

Yr un hen ymddiheuriadau arferol gan Annie dros ei mab. Ond aiff Grace ar ei ffordd yn ddigon llawen gan adael Annie â dau ddyn ar ei dwylo.

– Dan – cer â'r bocsys 'ma mas. Luther – odych chi'n bwriadu ishte ar 'ych pen-ôl am orie?

– Ar beth arall ishtedda i, Mrs Jenkins fach? A le ma' fe'r bòs 'da chi'r bore 'ma?

– Mas. Ar fusnes.

A chlep ar ddrôr y cownter nes bod y cyfan yn ysgwyd.

Gwir a ddywedodd Annie. Trafod busnes y mae Isaac Jenkins. Wel, bron iawn. Robert Roberts a Wyn Pritchard sy'n trafod busnes. Maen nhw'n eistedd ar soffa ledr yn lolfa'r Savoy Club, yn sipian brandis mawr ac yn smocio'u sigârs. Hofran y tu ôl i'r soffa a wna Isaac, gwydraid o sudd oren yn ei law, yn clustfeinio ar sgwrs ei gyd-faswniaid, ei gyd-flaenoriaid a'i gyd-gadnoid. Mae Robert yn ei elfen, yn pregethu wrth Pritchard am 'gymwynas am gymwynas', am 'dalu dyled' ac am 'helpu'n gilydd yn yr hen fyd caled yma'.

– Felly – gair bach yng nghlustia'r cnafon. Iawn?

– Fe dria i 'ngore, ond alla i byth ag addo dim.

Y cyfan a wna Robert yw codi'i aeliau, cymryd sip o'i frandi a sugno'i sigar – ac yna chwythu mwg i wyneb Pritchard.

– Pritchard, dwi'm yn meddwl eich bod chi'n dallt. Mae'r adeilad Covent Garden yma'n bwysig i ni. Yn bwysig iawn. Maen nhw'n gofyn gormod. A dwi isio i chi gael y pris i lawr. Dallt?

Mae Pritchard yn deall yn iawn, yn enwedig pan ychwanega Robert siwgwr at y foronen.

– Ac wrth gwrs, mi fyddwch chitha ar eich ennill pan eith y ddêl drwodd. Yn enwedig os gnewch chi'r gymwynas arall hefyd. Maen nhw'n cyrraedd heddiw o Sir Aberteifi.

– Iawn. Dim problem. *Six, Warwick Street.* Dyma nhw'r allweddi . . .

– Mae o'n lle da?

– Lle ardderchog. Fe fydd angen mis o rent.

Mae papurau pumpunt yn cael eu stwffio i law chwyslyd Pritchard.

– Rhent deufis. Rŵan ewch. Ond Pritchard – cofiwch gadw mewn cysylltiad.

Pocedu'r arian, codi, ysgwyd llaw – ac mae Pritchard allan drwy'r drws addurniedig. Llynca Robert weddill ei frandi.

– Y llyffant diegwyddor!

Mae Isaac yn gwenu arno'n llawn edmygedd, ac yn gorffen ei sudd oren.

Ei fola gwag sydd ar feddwl Luther wrth ddod allan o siop y Dairy gyda Dan. Gan fwytho'i farf yn feddylgar, a sibrwd 'Yr Arglwydd a geidw fy mynediad a'm dyfodiad' o dan ei anadl, sylla ar Cohen, yn ei ddillad Sabath, yn cyrraedd drws ei siop.

– *Shalom, Reverend* . . .

– Jawch, a shwt ma' hi'n ceibo ar dy Sabath di, yr hen Iddew bach?

– *Tell me, Reverend, what does that mean?*

– *It means, my good friend Cohen, 'May the glory of God be with you on this your Sabbath day'.*

Mae Dan yn tagu dros ei sigarét.

– *And the next verse is* 'Wyt ti'n mynd i gynnig tamed o gino i fi?' *which means 'The Lord provideth for his people in strange ways.'*

Mae'r hen Iddew yn Amenio'n frwd cyn tynnu watsh o'i boced.

– *It's five minutes to mid-day, my good friend Cohen.*

41

– How do you know?

– My empty stomach tells me.

– So it needs a good kosher meal – which is what I am about to prepare.

– None of your sheep's eyes and goat's brains!

Mae Cohen yn gwenu ac yn rhoi ei fraich am Luther.

– Come with me, my friend . . .

Wrth ddilyn Cohen i mewn i'w siop mae Luther yn wincio ar Dan.

– Rhyfedd yw ffyrdd yr Arglwydd, Dan bach . . .

– Rhyfedd – ac ofnadwy – Luther!

*

– 'Arglwydd, bendithia'n bwyd a gwna ni oll yn deilwng ohonot ti. Er mwyn Iesu Grist ein Harglwydd, Amen.'

Amser cinio yn Ffynnon Oer a'r teulu dedwydd wrth y ford. Tawelwch llethol a thair cadair amlwg o wag; Esther yn llwytho'r platiau â thefyll o gig moch; Martha'n gosod bowlen o foron ar y ford; Ifan yn ymestyn at y bowlen datws; Marged yn syllu'n ddiflas ar ei phlât a Morgan yn rhoi ei fraich amdani.

*

Ym meudy cyfyng y Dairy mae Blossom a Daisy'n cnoi eu cil dinesig yn fodlon wrth wylio Jane â'i breichiau mewn twba sinc o ddŵr poeth, ei chefn wedi'i grymu a'i gwallt yn stecs gan chwys a stêm. Mae bwcedi llaeth a thybiau menyn a sosbenni a bowlenni'n bentyrrau o'i chwmpas, rhai'n drwch o laeth neu gaws neu fenyn a rhai yn sgleiniog, lân. Ond daw Annie ati a thynnu ei dwylo o'r dŵr a'u sychu'n dyner.

– Ers faint wyt ti fan hyn? Caton pawb! Newydd gael babi wyt ti, groten!

Aiff ias drwyddi wrth weld Jane yn syllu arni'n wag.

– Pwy fabi, Anti Annie? Y'ch chi wedi drysu'n lân. Mam ga'th fabi bach, dim fi.

*

42

Dim ond blaen trwyn Ifan Bach sy'n pipo allan o'i fonet wlân o
dan y siôl wen a'r garthen liwgar sy'n dynn amdano yn y
perambulator. Er mai wythnos gyntaf Mawrth yw hi, a'r gwynt
yn fain o'r gogledd, gŵyr Esther ei fod fel tostyn bach ac y bydd
awyr iach yn llesol iddo ar ôl wythnos o gaethiwed yn y gegin
fyglyd.

Wrth iddi ei wthio'n hamddenol ar hyd y lôn, mae Esther
hefyd yn gwerthfawrogi'r cyfle i anadlu'n rhydd ac i gymryd
mantais o orig fach dawel. Bu'n wythnos galed iddi, y fenyw
ddeugain oed, ei phlant ieuengaf yn bymtheg, yr un a orfodwyd
i ailgydio mewn magu babi, y fam-gu a orfodwyd i fod yn fam.
Mae ganddi gymorth parod iawn yn ystod oriau'r dydd – mae
Martha, Morgan a Marged Ann yn awyddus iawn i'w fwydo,
i'w fagu ac i'w ymolch yn y twba bach o flaen y tân. Ond ar ei
hysgwyddau hi y pwysa'r baich a'r cyfrifoldeb o'i wylio'n
gyson ddydd a nos. Mae codi ato ddwywaith, dair, y nos yn
anodd. Ac wrth wrando ar sŵn soporiffig olwynion mawr y
perambulator yn gwichian rhwng y cloddiau daffodils fe
sylweddola Esther ei bod wedi blino'n garn. Pam na fyddai
wedi manteisio ar awr o lonydd gan y gwalch i gysgu yn y
gwely neu i bendwmpian yn y gadair siglo? Ond dyma hi, yn
ddigon sionc i ddringo'r lôn at gaeau pella'r ffarm – Cae Brwyn,
Cae Top a Chae Pella.

*

Mae gwendid, a hiraeth am ei babi'n llethu Jane. Mae hi'n
eistedd gydag Annie, yn yfed te ac ynddo lot o siwgwr, yn
hanner gwrando ar ei modryb yn clebran am y paratoadau i
groesawu John a Lizzie a Gwen fach i'r ddinas fawr. Ond yn
Ffynnon Oer y mae ei meddwl. Yno mae ei chalon. Yno mae ei
chrwtyn bach.

Ceisia ddehongli ei theimladau. Hiraeth am ei phlentyn ac
euogrwydd am gefnu arno wedi'u lleddfu gan y sicrwydd nad
oedd ganddi ddewis arall, a chan y tawelwch meddwl mai dyma
sydd orau iddo, sef magwraeth gariadlon yng nghanol ei
dylwyth. Ie, dyna'r unig ddewis, o dan yr amgylchiadau. O dan
yr amgylchiadau? Damo'r amgylchiadau! Petai pethau'n

wahanol. Petai hi wedi bod yn gall. Petai'r dyn ddim wedi cymryd mantais. Petaen nhw wedi gallu bod yn onest . . . Ond mae'n rhaid cefnu ar ei meddyliau gan fod Annie'n gofyn cwestiwn iddi:

– Ti'n edrych mla'n i'w gweld nhw?

– Odw glei.

– Fydd Gwen fach wedi tyfu.

– Bydd . . .

Distawrwydd. Na, mae bysedd Annie'n taro'n rhythmig ar y ford.

– Fe fydd hi'n neis ca'l 'u cwmni nhw.

– Bydd.

Wrth weld corff tyn ei modryb mae Jane yn sylweddoli na all fod mor hunanol o ddywedwst. Gwna ymdrech i wenu.

– Cofiwch chi, Anti Annie, falle bydd teulu Ffynnon Oer yn pingo ffor' hyn cyn hir!

– O? Beth ti'n feddwl?

– Wel, nawr bod Wncwl Isaac a Wncwl Robert wedi cynnig gwaith i Martha – a Marged 'fyd . . .

– Shwt waith?

– Yn y caffi newydd.

Mae wyneb Annie'n dweud y cyfan.

– Dy'ch chi ddim yn gwbod?

– Nagw, Jane fach. O'n i'n gwbod dim.

Wfft i ymdrech wantan Jane i fod yn joli.

*

Yn Cae Top y mae Ifan, ac mae golwg bryderus arno wrth afael mewn oen marw – y trydydd mewn deuddydd. Tri oen bach gwantan, ysglyfaeth i'r cadnoid a'r brain, a'u mamau'n hiraethu'n druenus amdanynt. Clatshen i'r mamau, mwy o glatshen i'r ffarmwr. Dyna beth sy'n mynd drwy feddwl Ifan pan glyw wich y *perambulator* yn agosáu ar hyd y lôn. Cuddia gorff yr oen mewn clawdd ac aiff i gwrdd ag Esther at y gât.

– Shwt y'ch chi'ch dou fach? Wedi dod i whilo am Da'-cu!

Eiliad o sylweddoliad.

– Am Dat . . .

44

Petai Ifan yn un am regi byddai'n ei fflamio'i hunan i'r cymylau am ei gamgymeriad. Esther sy'n torri'r garw wrth syllu ar y lwmpyn bach yn nyfnder y *perambulator*.

– Paid â becso. Ma' hi'n anodd, on'd yw hi? Anodd dygymod, anodd gweud anwiredd, anodd celu'r gwir. Fe fydd hi'n anodd am sbel go hir. Clywed pobol yn siarad, yn dannod ... Nawr bod y celwydd yn fwy na gobennydd rownd 'y nghanol i ...

Mae Ifan yn rhoi ei fraich amdani.

– Cofia'n bod ni'n 'neud hyn er mwyn Jane. A fe fydda i 'da ti, reit? Bob cam o'r ffordd. Fe wynebwn ni'r cwbwl gyda'n gilydd ...

*

Mae Annie'n taro'i dwrn yn galed ar y ford nes bod y llestri'n bowndian ac yn diasbedain.

– Crac? Wrth gwrs bo' fi'n grac! A tithe'n cwato pethe'r tu ôl i 'nghefen i! Pam na wedest ti wrtha i am y caffi 'na?

– Syniad yw e, 'na i gyd.

– Wyt ti 'di bod mas am orie'n trafod 'syniad'. Syniad Robert – sy â digonedd o arian i dowlu bant.

– Buddsoddi, Annie. Dim towlu bant.

– Ma' pob cinog goch sy 'da ni yn y Dairy! Oni bai bod arian 'da ti wedi'i gwato!

– Reit, wy 'di ca'l digon ar dy bregethu di. Gad i Robert a finne drafod y busnes.

– Ma' fe'n fusnes i finne 'fyd! Partnerieth sy 'da ni, Isaac! Partnerieth ugen mlynedd! Y'n ni wedi wynebu popeth 'da'n gilydd. A dy'n ni ddim yn mynd i stopo nawr!

Mae Isaac yn syllu drwyddi'n oeraidd cyn cerdded mas.

Tic-toc y cloc a thincial llestri a llwyau te, a Hannah'n dylyfu gên yn swnllyd. Mae hi'n amser te ym mharlwr y Mans ac fe gafodd Hannah hen ddigon ar wên deg a mân siarad Grace Morgan, ac ar ymgreinio'i thad.

– Brechdan jam, Miss Morgan? Teisen gri? Mwy o de?

Mae hi'n casáu'r ffordd y mae'r hen ddynas fach annifyr yn dal

ei bys bach i fyny wrth sipian ei the ac yna'n sychu corneli'i cheg
â'i *serviette*. Ac mae'r cyfuniad cyfoglyd o *Lavender Water* a
Hair Oil for Men sy'n llenwi'r stafell yn ei gwneud yn dost. Daw
syniad sydyn iddi. Beth petai hi'n dechrau achwyn? Beth petai
hi'n dweud ei bod yn teimlo'n benysgafn? Beth petai'n llewygu?
Dyna roi'r ceubosh ar eu te-parti bach truenus! Byddai ei thad yn
poeni ac yn ffysian, a byddai'n rhaid i Grace fynd adref. Bechod!

Ond cyn iddi ddechrau gweithredu ei chynllun bach cyffrous
mae sŵn curo ar ddrws y ffrynt. Rhutha Hannah i'w agor –
unrhyw beth i ysgafnhau undonedd diflas y prynhawn. Caiff
syndod o weld Luther yn sefyll yno, ei lygaid crocodeil yn
edrych dros ei hysgwydd wrth siarad.

– Ody'ch tad miwn, Hannah fach?

Gwena Hannah'n groesawus arno. Dyma'r union un i
aflonyddu ar y ddeuawd yn y parlwr! Cyn pen hanner munud
mae Luther yn eistedd ar y soffa a phlât ar ei lin, yn llwytho
bara menyn jam i'w geg yn awchus ac yn llyncu'i de, tra bod
Hannah'n dawnsio tendans rownd iddo a William Jones a Grace
yn llygadu'i gilydd yn llawn anobaith. Heb yn wybod iddyn
nhw'u tri, mae Luther yn eu llygadu hwythau. Gŵyr yn union
beth yw'r sefyllfa rhwng y Parchedig Jones a Grace; gŵyr yn
union beth yw gêm fach Hannah. A rhyngddyn nhw a'u cawl.

Mae Isaac Cohen yn cyfarch Jane a Dan ac Annie ar eu ffordd i
stesion Paddington.

– *I'm getting very worried, Mrs Jenkins! There'll soon be
Jenkinses around every corner!*

Daw ateb Dan fel mellten:

– *Jenkinses and the Children of Israel!*

– *Chapels and synagogues, my friends!*

– *And between us, we can teach the English a thing or two!*

– *We'll teach them to pray, my friend, you teach them to sing.*

– *No, no, Isaac, we can pray and sing!*

Mae Luther wrth yr harmonium, ei fysedd yn maldodi'r nodau,
ei lygaid ynghau a'i lais tenor yn taro fel cloch.

– 'O'th flaen fy Nuw, rwy'n dyfod
   Gan sefyll o hir bell;'

Gwena Hannah'n llawn drygioni ar ei thad a Grace, wrth ei bodd wrth eu gweld mor anghysurus.

– 'Pechadur yw fy enw -
   Ni feddaf enw gwell;'
Ond mae ysbryd cymanfaol Luther yn dechrau pylu a'i lais yn dechrau crygu a gostwng yn raddol o linell i linell.

– 'Trugaredd rwy'n ei cheisio,
   A'i cheisio eto wnaf;
   Trugaredd imi dyro . . .'
Prin y gallwn glywed y llinell olaf:

– 'Rwy'n marw onis caf.'
Does neb yn cyffro wrth wylio Luther yn eistedd yn llonydd ac yn benisel. Yna mae Hannah'n dechrau curo'i dwylo ac mae Luther ar ei draed, yn gafael yn ei glogyn a'i ffon ac yn chwyrlïo am ddrws y ffrynt a William Jones ar ei sodlau.

– Luther bach, be 'dy'ch brys chi, 'dwch?
Un edrychiad affwysol o drist – ac mae Luther wedi mynd.

Brêcs yn gwichian, stêm yn chwyrlïo, drysau'n clepian, sŵn gweiddi a chwibanu – mae gorsaf Paddington mor brysur ag erioed, a John a Lizzie Jenkins, a Gwen, eu croten fach, yn pipo drwy ffenestri brwnt y trên a'u cariodd bob cam o Gymru. Maen nhw wedi cyrraedd, yn llawn gobaith, i chwilio am balmentydd aur y ddinas fawr.

Mae'r ddirprwyaeth deuluol yn aros amdanyn nhw, a Jane, yn enwedig, yn emosiynol iawn wrth fagu Gwen yn dynn, wrth holi sut mae Ifan Bach ac wrth gael yr ateb ei fod yn llond ei groen ac yn werth y byd. Ac yna allan â'r llwyth drwy'r fynedfa fawr. Pwy ddaw i'w cyfarfod megis cwmwl du ond Luther. Sylla arnyn nhw'n drist.

– Mrs Jenkins . . . Daniel Jenkins . . . A tithe, Jane fach Jenkins . . .

– A John 'y mrawd . . . A Lizzie, 'i wraig . . . A Gwen . . .
– Gwen fach Jenkins . . .
Losinen mint o'i boced yw ei anrheg o groeso iddi.

– Croeso i Lunden, Gwen fach. Croeso i chi i gyd – i Uffern.
A bant ag e mewn chwa o alcohol.

– Pwy yw e, druan bach?

47

Dan cellweirus sy'n ateb cwestiwn Lizzie:
– Gweinidog bach wedi mynd off y reils . . .

Mae hi gered yn y Mans a Hannah wedi pwdu'n waeth nag arfer a'i thad yn dechrau blino ar ei gêm. Bu'n gorweddian ar y soffa ers dros awr, clustog o dan ei phen, ei thrwyn mewn cylchgrawn, yn sylweddoli'n iawn bod swper ar y gweill – afu a thato a grefi, a semolina'n bwdin – a bod angen ei help hi ar ei thad petai ond i osod llestri ar y ford. Gadawodd yr hen William lonydd iddi yn ei phŵd, ond nawr, wrth ymdrechu'n ofer i godi sgwrs â hi a hithau'n ei anwybyddu'n llwyr, fe gafodd ddigon. Mae hithau wrth ei bodd yn ei weld yn gwylltio ac aeth yn frwydr rhyngddynt. Camgymeriad William yw sôn am Grace ac am y prynhawn difyr a gafwyd yn ei chwmni. Camgymeriad Hannah yw gweiddi arno bod 'y ddynas wirion' wedi diflasu ei phrynhawn ac nad yw am ei gweld yn dod i'r tŷ byth eto. Dyna ddiwedd ar amynedd William. Gafaela ynddi, ei chodi oddi ar y soffa a'i sodro ar gadair wrth y ford.

– Reit, meiledi! Dwi 'di cael llond bol! Eistedda yn fan'na, a dim mwy o d'antics gwirion! Mi oeddat ti'n codi c'wilydd arna i'r prynhawn 'ma!
– Be amdanoch chi a'r ddynas yna a'ch antics gwirion?
– Paid ti â meiddio siarad fel'na am Miss Morgan!
– Mi siarada i fel licia i!
– Dim tra byddi di yn y tŷ 'ma, 'merch i!
– Yn y carchar 'ma, 'dach chi'n 'feddwl! Achos dyna ydi o! Blydi carchar!
– Hannah!
– Mae o'n wir! Mae pawb o'n ffrindia i allan yn mwynhau heno! A lle mae Hannah fach? Adra efo Tada, yn hogan dda!
Mae'r llestri ar y dreser yn ysgwyd wrth iddi glepian y drws y tu cefn iddi.

A hwythau wedi ymlwybro drwy'r glaw mân ar hyd strydoedd cefn Paddington, o dan gyfarwyddyd Dan, cyrhaeddodd y Jenkinsiaid adeilad anripâr rhif chwech, Warwick Street. Maen nhw bellach yn seler dywyll yr adeilad hwnnw, drewdod lleithder, neu rywbeth gwaeth, yn eu ffroenau, ac mae Dan yn mwmblian 'Rhif whech yn drewi fel rhech' wrth ymdrechu i agor ffenest fach lychlyd. Mae Annie newydd ddatgan y byddai twlc mochyn Ffynnon Oer yn gartref gwell na hwn ac nad yw'n fodlon i'r teulu bach aros yno funud yn hwy. Mwy na hynny mae Isaac a Robert a'r 'pwdryn Pritchard 'na' yn ei chael hi nes eu bod yn tasgu am fod mor esgeulus. Ond mae Lizzie'n gwrthod ildio ac eisoes fe dorchodd ei llewys a mynd ati i chwilota mewn cypyrddau am frwsh a mop a bwced. Aiff Jane i'w helpu gan daflu gorchmynion at John a Dan i fynd i chwilio am bwmp dŵr a choed tân.

Hanner awr yn ddiweddarach, mae Gwen yn eistedd ar garthen ar ganol y llawr, yn mwynhau'r bara-llaeth y mae Annie'n ei lwytho i'w cheg. O'u cwmpas mae 'na brysurdeb mawr – brwsio, sgwrio, cario dŵr, megino'r tân. Ac yna mae Annie'n stwffio arian i law Dan ac yn ei orchymyn i fynd gyda John i chwilio am ganhwyllau a lampau, sosbenni a llestri, dillad gwely, stôl neu ddwy. Yn ei anwybodaeth a'i ddiniweidrwydd fe hola John gwestiwn sy'n peri i bawb chwerthin yn harti.

– Ble ma' ca'l gafel ar bethe fel'na amser hyn o'r nos?

Ac fe gaiff yr ateb amlwg.

– Yn Llunden wyt ti nawr, John bach! Dim twll-tin-byd-Brynarfor!

Dyw sach-liain-a-lludw Hannah ddim yn ei gweddu.

– Tada, ma'n ddrwg gin i am p'nawn 'ma. Ddyliwn i ddim fod wedi'i ddifetha fo.

– Ydi hi'n ddrwg gin ti am y misoedd diwetha 'ma hefyd? Am fod yn hogan fach gysetlyd sy'n trin 'i thad fath â baw? A finna'n rhoi popeth i ti. Gneud popeth drosot ti. Tydi bod yn dad ac yn fam ddim yn hawdd, 'y merch i!

– Tydi byw efo chi ddim yn hawdd! Tydi bod heb fam ddim yn hawdd!

– Mae hynny'n amlwg, yr hen hoedan fach anystywallt!

– O, dwi'n 'hoedan fach' rŵan!

– Be arall ydi hogan sy'n mynd dros ben llestri, dim ond iddi gael mymryn o ryddid!

– O ia! Dannod yr hogyn 'na eto!

– Mi fydda i'n hir yn madda dy fisdimanors di, Hannah.

49

– Siarad â'r hogyn dros glawdd yr ardd. Dyna fisdimanors difrifol iawn!

– Siarad yn wirion efo dieithryn bach comon. A Duw a ŵyr be fasa 'di digwydd taswn i heb ddŵad adra pan ddaru mi!

– Hen dro yntê. Ches i ddim cyfla i fod yn hoedan go iawn!

– Mi fasa dy fam yn torri'i chalon . . .

– Dwi'm isio clywed am Mam!

– Santas o ddynas.

– Mi oedd hi'n gorfod bod er mwyn byw efo chi! Chi a'ch castia drwg! Pwy oedd y ddynas 'na oeddach chi'n smalio ymarfar y Cantata efo hi?

Yn sydyn mae William yn codi'i law i'w tharo.

– Ia, hitiwch fi, Tada! Fel oeddach chi'n hitio Mam!

Mae ei law yn hofran uwch ei phen. Mae hithau'n gwenu'n slei cyn troi a cherdded yn osgeiddig i fyny'r staer.

– Ma' trwbwl o'ch bla'n chi, Dat bach!

Dan sy'n pryfocio'i dad wrth roi Bess yn sownd yn nhresi'r cart.

– Ma' Mam am 'ych gwa'd chi.

– Ar Pritchard ma'r bai! Addawodd e ga'l lle teilwng! Ma'n ddrwg 'da fi, John.

– Pidwch â becso, Wncwl Isaac. Fe ddown ni drwyddi.

Awr yn ddiweddarach ac fe gariodd Dan a John sawl llwyth o siop Cohen i'r cart. Dewiswyd stolion, cadeiriau, gobenyddion, carthenni, sosbenni, lampau a chanhwyllau. Canu clodydd hen fatres blu a wna'r hen ŵr ar hyn o bryd gan daeru iddi ddod bob cam o balas brenhinol yn Rwsia. Mae Dan yn ei bryfocio.

– *The Bolshis looted it before they killed the Czar and all his family!*

Ac yna winc ar John wrth fynd â llond ei freichiau at y drws.

– Paid â gadael i'r hen gadno dy dwyllo di, John.

– *What was that you say, Daniel?*

– *I say you're a good man, Isaac.* Cadno *is Welsh for 'good man', see?*

– *Cad-no – good man. Thank you, Daniel.*

Winc fach arall ac fe ddiflanna'r fferet gan adael John yn teimlo braidd yn anghysurus. Ond mae hwyliau da ar Cohen yn ei ddiniweidrwydd anwybodus. Gafaela mewn *menorah* fawr, un addurniedig, hardd, ond un a welodd ddyddiau gwell. Rhed ei fysedd yn dyner ar hyd y breichiau cerfiedig, tolciog, ac yna gwena ar John.

– *For you – and your little family. To help light your way in this dark city. And I tell you, my friend, you will need all the light you can get* . . .

Un lamp olew sy'n goleuo stydi'r Parchedig William Jones. Mae hi'n taflu cysgodion crynedig i'r corneli, yn goleuo'r ffotograff sydd ar y ddesg ac yn creu mwgwd rhyfedd o'i wyneb wrth iddo ddarllen drwy bregeth bore fory. Cwyd ei lygaid a syllu ar y ffotograff. Llun o deulu bach, y fam yn magu merch fach ar ei glin, y tad yn sefyll yn gefnsyth y tu ôl iddyn nhw, un llaw ar frest ei got, y llall ar ysgwydd ei wraig fach eiddil. Mae'r tri yn gwenu ar y camera.

Yn y cyntedd mae'r cloc yn taro naw ac mae'r staer yn gwichian wrth i Hannah ddod lawr yn droednoeth ac ar flaenau'i thraed. Mae hi'n oedi wrth ddrws cilagored y stydi cyn mynd at ddrws y ffrynt a gwisgo'i sgidiau. Mae hi'n gwrando ar dic-doc y cloc cyn agor y drws yn ofalus rhag iddo wichian. Yna aiff allan i'r nos gan gau'r drws yn ofalus y tu cefn iddi.

Dyw'r Parchedig William Jones ddim yn clywed y glep fach ysgafn. Mae ei feddwl ymhell wrth syllu ar lun y teulu bach o'i flaen.

Mae'r gweddnewidiad yn syfrdanol. Saith cannwyll lachar yng nghanhwyllbren Cohen, lamp olew ddisglair ar y ford, fflamau tanbaid yn y grât ac mae seler rhif chwech Warwick Street yn fôr o oleuni ac o wres. Mae Gwen yn cysgu ar fatres ar y llawr, carthen liwgar amdani, ei bawd yn ei cheg a Jemeima yn ei breichiau. Mae'r oedolion blinedig newydd orffen pryd o gawl a bara a chaws ac am y tro cyntaf ers oriau mae pawb yn llonydd ac yn dawel. Sylla Jane ar Gwen, ei meddwl draw ymhell yn Ffynnon Oer.

Mae Lizzie'n rhoi pwniad bach i John, sy'n deall ei neges ac yn dechrau diolch i bawb am fod mor barod i dorchu llewys er mwyn creu'r 'palas bach'.

– Ond cyn bo hir, fe fydda i'n prynu palas teidi i Lizzie a Gwen.

Yn sŵn chwerthin y bobol ifanc mae Annie'n cofio Isaac yn addo hynny iddi hithau, flynyddoedd maith yn ôl. Sylla ar y pedwar yn eu tro. Dan, ei hunig blentyn y mae ei afradlonedd a'i ddiogi a'i gelwyddau'n ofid iddi. John, ei nai drwy briodas, a'i wraig a'i groten fach. Mor ddiniwed, mor llawn o obaith, mor anobeithiol yn y ddinas fawr. A Jane – beth ddaw ohoni, yr un a syrthiodd i demtasiwn eisoes, a hithau'n ddim ond deunaw oed? Beth ddaw ohonyn nhw i gyd, fan hyn yn Llundain, mor bell o'u gwreiddiau? Oes o lafur caled, o fore gwyn tan nos. Byw o ddydd i ddydd. Gwaith a gorffwys – gweithio oriau meithion, dwyn awr neu ddwy o gwsg. Ond fe ddôn nhw drwyddi, yn union fel y llwyddodd hi ac Isaac. Wel, fwy neu lai . . .

Yr hen ryfel oedd y drwg. Blynyddoedd hir o wasgfa. Ac i beth? Dair blynedd ar ôl y 'fuddugoliaeth fawr' does fawr ddim wedi newid, ac mae bywyd yn galetach nag erioed. Y cysur mawr yw nad oedd neb o'r teulu agos wedi gorfod mynd i ymladd – Dan a meibion Ffynnon Oer yn rhy ifanc, eu tadau'n rhy hen. Ond trwch blewyn oedd hi.

Yn sydyn mae hi'n enwi'r pedwar, fesul un.

– Dan, a Jane, a John a Lizzie – a Gwen fach. Bendith arnoch chi i gyd . . .

Maen nhw'n syllu arni'n syn. Dan, fel arfer, sy'n gweld yr ochor ddoniol.

– Dewch nawr, Mam. Ma'n well i ni siapo hi a mynd gatre cyn bod pawb yn 'u dagre.

– Isie mynd i galifanto wyt ti heno 'to!

– Addewes i alw hibo i'r Corner House, 'na i gyd. Do's dim drwg yn hynny, o's e?

– Rhyntot ti a dy bethe, Dan bach.

– O's rhywun moyn dod 'da fi i ga'l 'bach o sbort?

Nagoes, neb.

– Beth ddiawch sy'n bod arnoch chi?

Mae Annie'n gwisgo'i chot a'i het ac yn gafael yn ei bag.

– Blinder yw e, Daniel. Blinder iach ar ôl gwaith caled. Ond fyddet ti'm yn gwbod beth yw hwnnw.

– O, odw, Mam. Achos ma' fe'n fwgan mowr i chi a Dat.
Y'ch chi'ch dou wedi blino gormod i enjoio dim! 'Na beth yw
wast ar fywyd! Nos da, bawb!

Does neb yn yngan gair ar ôl iddo fynd drwy'r drws. Ond
gŵyr pawb ei fod yn llygad ei le.

Mae Hannah'n sefyll – yn hytrach, yn hofran yn nerfus – ar y
palmant y tu allan i'r Lyons Corner House ger Marble Arch.
Gwylia'r mynd a'r dod cyson; drwy'r ffenestri gall weld pobol
yn eistedd wrth y byrddau; gall glywed hymian eu sgwrsio ac
ambell bwl o chwerthin; bob tro y bydd y drws yn agor mae
sawr cynnes coffi'n llifo drosti.

– Hannah! Ble wyt ti, Hannah fach?

Y Parchedig William Jones sy'n gweiddi. Aiff i lawr y llwybr
at glwyd y Mans a chraffu draw ar hyd y stryd.

– *Mr Briggs, have you seen Hannah?*

Mae'r dyn sy'n mynd â'i gi am dro yn ysgwyd ei ben ac yn
ymddiheuro cyn cerdded yn ei flaen. Mae golwg bryderus ar
wyneb yr hen William.

– Hannah! Beth wyt ti'n neud 'ma?

Fe gyrhaeddodd Daniel Jenkins o'r diwedd. Mae Hannah'n
gwenu arno.

– Ody Tada'n gwbod bo' ti 'ma?

– Wrth gwrs 'i fod o!

Gwenu'n wybodus a wna Dan.

– Wel, wyt ti'n dod miwn am goffi?

Does dim rhaid iddo ofyn ddwywaith.

Gwely cynnar yw hi heno i John a Lizzie Jenkins. Maen nhw
wrthi'n caru'n dawel fach ar fatres ar y llawr, sŵn siffrwd eu
cyrff yn gymysg ag anadlu ysgafn Gwen gerllaw. Cusanu,
blasu'i gilydd, swmpo'i gilydd, synhwyro'u hangen am gysur ar
drothwy'u hantur fawr.

Yn sydyn, sgrech. Un sgrech hir, fenywaidd; un
ddychrynllyd, annaearol yn rhwygo drwy'r distawrwydd, yn
atseinio rhwng y waliau. Ac yna lleisiau'n gweiddi. Dau, dyn a

menyw, yn gweiddi ar ei gilydd, yn bygwth ac yn rhegi. Ac yna swn clatsho a lluchio llestri a llusgo celfi a chlepian drysau ac agor ffenestri a phlant yn sgrechen a mwy o leisiau'n gweiddi a mwy o regi.

Dyma Fedlam. Dyma Uffern. Dyma Lundain. Croeso, deulu bach.

Dros y bwrdd, rhwng y cwpanau coffi, mae Dan yn estyn am law Hannah, sy'n gwenu'n angylaidd arno.

– Ti'n joio?

– Wrth 'y modd!

Gwena yntau arni hithau gan syllu i'w llygaid. Mae hi'n toddi o dan ei edrychiad. Mae'r profiad yn un newydd, hyfryd i ferch ddwy ar bymtheg y Mans. Yna'n sydyn, fe ollynga'i llaw a chodi ar ei draed.

– Reit 'te, dere.

– I ble?

– Ma' hi'n bryd i fi fynd â ti gatre.

– Be!

– Ma' hi wedi deg, a dyw Tada ddim yn gwbod le wyt ti – ody fe?

– 'Motsh gin i! Tydw i ddim yn mynd adra rŵan!

Gafaela Dan yn ei braich a'i llusgo'n llawn protest at y drws, er mawr ddifyrrwch i bawb.

Hanner awr yn ddiweddarach, mae Dan yn dal i'w llusgo ac mae hithau'n dal i brotestio.

– Wna i byth faddau i ti am hyn!

O'r diwedd, dônt i olwg y Mans ar waelod y stryd. Mae Dan yn stopio'n stond, yn troi at Hannah ac yn syllu arni yng ngoleuni'r lamp uwchben. Mae hi'n crychu'i thalcen, yn ansicr o'i gymhellion. Hwn yw'r un a'i siomodd, yr un a wnaeth ffŵl ohoni o flaen pawb, yr un sy'n ei thrin fel croten fach. Hwn yw'r un sy nawr yn codi'i law at ei hwyneb, yn anwesu'i boch, yn rhedeg ei fys ar hyd ei gwefusau, yn ei thynnu i'r cysgodion . . . Beth ddiawch sy'n digwydd? Profa Hannah ei chusan gyntaf yng nghysgod gwrych, ganllath o'r Mans, ym mreichiau Daniel Jenkins. Mae rhyw deimlad rhyfedd yn dod drosti a gafaela ynddo a dechrau ei gusanu'n ôl yn frwd. Ond fe'i gwthia oddi wrtho.

– Gan bwyll, meigyrl. Falle bo' Tada'n pipo arnon ni.

– 'Motsh gin i!

– Wel ma' ots 'da fi! Ond 'se fe ddim ymbytu'r lle . . .

– Mae o bob amsar 'ymbytu'r lle'!

– Fydd e ddim 'ma bore fory, na fydd? Bore Sul?

Sylla arno'n syn.

– Na fydd . . .

– Ond fe fyddi di. A fe fydda inne hefyd – os wyt ti'n moyn.

Mae Hannah wedi deall. Mae hi ar fin cusanu Daniel pan afaela yn ei llaw a dechrau ei harwain at y Mans.

– Dere . . . A gad bopeth i fi.

Ymhen pum munud, mae Hannah'n ôl yn saff rhwng pedair wal y Mans. Llwyddodd Dan i greu stori fach gredadwy amdani'n galw heibio i'r Dairy i weld Jane er mwyn dweud ei chŵyn am y ffrae fach gafodd gyda Tada. Ond dŵr o dan y bont yw hynny nawr, a hithau'n ôl yn saff. Diolcha William Jones i'r hen Ddaniel cydwybodol a chyfrifol am ei help. Mae hwnnw'n gwenu wrth gerdded yn sionc drwy'r glwyd. Bydd gwledd yn ei aros pan ddychwela drwy'r un glwyd am ddeg y bore fory.

*

Bore Sul yn Ffynnon Oer, ac mae'r gwartheg newydd gael eu traed yn rhydd.

– Enjoiwch 'ych dwyrnod, y cnafon bach!

Mae Martha'n cau clwyd Cae Glas ac yn troi at Morgan sy'n eistedd ar wal y twlc yn darllen *Practical Physics*.

– A tithe 'fyd!

Ond chaiff hi ddim ymateb ganddo.

*

Mae hwyl ddrwg ar Dan wrth iddo ymddangos yn gysglyd ar iard y Dairy yn ei got wen. Cyn iddi yngan gair o'i phen tafla fflach o rybudd at ei fam.

– Gadwch lonydd i fi, reit!

Llynca lond lletwad o laeth o'r *churn* a rhwbio'i geg cyn dringo i'r cart lle mae John yn disgwyl yn amyneddgar amdano. Sgytwad o'r awenau, *Gee up* a chlic ei dafod ac mae'r cart yn mynd drwy'r gatiau mawr.

*

– Ifan! Martha! Morgan! Dewch! Ne' fyddwch chi'n hwyr i'r cwrdd!

Mae Esther ar fin troi'n ôl i'r tŷ pan wêl yr hen Lettie Tegfryn yn llusgo ar draws y clos. Hon sy'n deall y cwbwl a mwy ynglŷn â godro cydwybod Ifan Jenkins, Ffynnon Oer. Mae hi'n tynnu jẁg fach frown o blygion ei chlogyn ac yn ei wylio'n ei llenwi o *churn* gerllaw. Wrth iddi ymbalfalu unwaith eto o dan ei chlogyn mae Ifan yn cyffwrdd yn ei braich yn dyner ac yn ysgwyd ei ben. Fe wena Lettie'n ddiolchgar arno gan ddangos dwy res o ddannedd duon. Ochneidia Esther wrth fynd i mewn i'r tŷ.

*

Gallech dyngu mai'r un jẁg frown sy'n cael ei hestyn i Dan gan ferch ifanc, welw, wael yr olwg, sy'n magu babi bach mewn hen siôl dyllog. Sylla Dan yn oeraidd arni.

– *Can you pay me, Maggie?*

Mae hi'n ysgwyd ei phen ond yn addo, ar fywyd ei babi bach, y bydd yn ei dalu drannoeth.

– *No money, no milk. You know the rules, Maggie. Next!*

Gwinga John wrth weld ei gefnder yn anwybyddu ei phledio dagreuol. Ond does dim arlliw o gydymdeimlad ar ei wyneb wrth iddo arllwys llaeth i jẁg y person nesaf yn y gynffon sy'n ymestyn draw ar hyd y pafin – plant, hen bobol, mamau ifanc – pob un â'i jẁg, ambell un heb arian ond â'i ffydd yng ngharedigrwydd y ddynoliaeth yn aruthrol. Mae'r ferch, a'r babi yn ei chôl, yn suddo i'r gwter, ac yn eistedd yno'n igian yn druenus. Does neb yn cymryd sylw ohoni.

– *Next!*

Lizzie, a Gwen yn ei chôl, yw'r nesa. Mae Gwen yn estyn ei breichiau tuag at ei thad yn hapus. Er bod gwên ar wyneb Dan wrth arllwys llaeth i Lizzie, mae ei gerydd yn llym.

56

– Paid â dangos bo' ti'n 'y nabod i! A phaid â dod fan hyn byth 'to i mofyn lla'th! Fe ofalwn ni bo' digonedd i chi yn y Dairy. Nawr'te, fe fydd raid i fi gymryd arian 'wrthot ti, ne' fe fydd y crowd 'ma am 'y ngwa'd i. *Thank you, duckie. Next!*

Wrth i Lizzie gamu dros y ferch a'r babi yn y gwter fe glyw John yn dweud yr union beth sydd ar ei meddwl hithau hefyd.

– Hen le caled yw'r Llunden 'ma, Dan.

– Pob un dros 'i hunan yw hi, a Duw dros bawb. *Next!*

A'r cart yn pellhau ar hyd y stryd, mae Lizzie'n arllwys llaeth o'i jŵg i jŵg fach frown y fenyw yn y gwter.

Llifa'r hufen trwchus o'r jŵg arian sydd yn llaw Robert Roberts, a diferu dros y llwy i mewn i'r coffi. Cwyd Robert ei olygon a syllu i'r drych cerfiedig. Gwêl ddyn canol oed yn syllu'n ôl arno, un digon golygus, er gwaetha – neu oherwydd – y mân grychau o gwmpas y llygaid, a'r gwallt brith. Mae'r gŵn gwisgo sidan sydd amdano'n ddu, heblaw am sblash o sarff felen ar yr ysgwydd dde. Gwêl gefnlen o ystafell wely foethus a'i llenni brocêd, ei siandelïer gwydr a'i dodrefn mahogani. Cymer sip o'i goffi a nodio'i ben yn foddhaus. Mae'r hyn a wêl yn amlwg yn ei blesio.

Gafaela yn y *telephone* a deialu.

– Bora da, gyfaill. 'Mond deud fy mod i'n awyddus i gael gair. Yn syth ar ôl yr oedfa – iawn? Hwyl, rŵan . . .

Gwena wrth roi'r teclyn yn ôl ar ei fachyn.

– Y llyffant . . .

Cymer sigâr o'r blwch ifori a'i chynnau'n hamddenol cyn dechrau cyfrif trwch o bapurau pumpunt, eu rhoi mewn amlen a'i selio. Yna cwyd y *telephone* eto a deialu . . .

Mae'r gloch yn deffro Vera o drymgwsg. Ymbalfala am y *telephone* a'i llygaid ynghau a gwena wrth glywed llais melfedaidd Robert.

– *Tell me, Vera darling – what are you wearing?*

Mae hi'n agor ei llygaid ac yn byseddu botymau'r gŵn nos o gotwm gwyn sydd amdani.

– *No, don't tell me. Let me guess . . . The red negligée, with the bows all down the front. Am I right?*

– *Of course . . .*

– Keep it on for me. I'll be with you soon – straight after chapel . . .

Clic – ac mae Robert wedi mynd. Mae Vera'n magu'r *telephone* am rai eiliadau cyn codi, mynd at ei chwpwrdd dillad a thynnu allan ŵn gwisgo coch a rubanau drosto. Yna aiff i arllwys dŵr i'r bàth.

Clyw Hannah ddrws y ffrynt yn clepian a sŵn traed ei thad yn brasgamu ar hyd y llwybr. Pan glyw wich y gât yn agor ac yn cau mae hi'n codi o'i gwely ac yn pipo'n ofalus drwy'r ffenest. Gwêl gynffon y got fawr ddu'n diflannu rownd y cornel, a gwena. Yn sydyn, fe deimla'n well. Diflannodd y pen tost a'r cyfog a'r poen bol. Fe allai, wedi'r cwbwl, fynd i'r cwrdd. Gwena eto wrth dynnu ei ffrog orau o'r cwpwrdd dillad a dechrau agor botymau ei gŵn nos . . .

Dyw pethau ddim yn dda – eto fyth – rhwng Dan ac Annie. Fe gyrhaeddodd Dan yn ôl o'r rownd yn hwyr a does dim sôn am fynd i newid i'w ddillad cwrdd.

– Cer i newid – glou!
– Fydda i ddim yn dod i'r cwrdd.
– Pam?
– Dim whant . . .
Gwena Dan ar Jane.
– Fe geith aelode mwy parchus y teulu weud gair bach drosta i!

*

– 'Yn y dwys ddistawrwydd,
   Dywed air fy Nuw;'
Yng nghapel bach Brynarfor mae'r lleisiau tawel yn canu'r Intrada'n ddigyfeiliant.
   – 'Torred dy leferydd
      Sanctaidd ar fy nghlyw.'
Gan fod Martha Jenkins yn syllu i fyny i'r pulpud ar wyneb y Parchedig Harri James, dyw hi ddim yn sylwi bod Rhys Jones yn ei llygadu.

*

– 'Rwy'n edrych dros y bryniau pell
Amdanat bob yr awr;'
Yn sain aruthrol yr organ a phedwar llais y gynulleidfa lawn,
gall Lizzie dyngu bod llygaid pawb yn y capel mawr wedi'u
hoelio arni hi a John a Gwen.
– 'Tyrd f'Anwylyd, mae'n hwyrhau,
A'm haul bron mynd i lawr.'
Ond yn sydyn fe dry'r sylw at y drws yng ngefn y capel, ac at
ddyn gwalltog, barfog mewn clogyn du sy'n llusgo i mewn, ei
het yn ei law, ac yn llithro fel cysgod i lawr yr eil. Fel yng
ngorsaf Paddington neithiwr, gall Lizzie sawru'r alcohol wrth
iddo fynd heibio iddi a sefyll yn y sedd o'i blaen, er mawr
annifyrrwch i'r teulu sydd yno eisoes.

Daw'r Amen hir ar ddiwedd yr emyn, a phawb yn eistedd
i wrando ar y bregeth a fydd yn un fer y bore 'ma gan fod
Y Parchedig William Jones yn awyddus i ddychwelyd at ei ferch
anwydog sy gartref ar ei phen ei hun.

– Pam nad est ti i'r cwrdd, y groten fach ddrwg?
– Am fod yn well gin i 'gwrdd' â ti, yr hogyn bach drwg.
Dyna, felly, ddealltwriaeth lwyr rhwng Daniel Jenkins a
Hannah Jones wrth iddyn nhw gusanu'n frwd ar *chaise longue* y
Mans.

– 'Pan oeddwn fachgen, fel bachgen y llefarwn, fel bachgen y
deallwn, fel bachgen y meddyliwn. Ond pan euthum yn ŵr, mi a
rois heibio bethau bachgennaidd . . .'
Yng nghanol perorasiwn William mae Jane yn ei chael ei
hun, fel y gwnaeth neithiwr, yn syllu ar Gwen, sy'n eistedd yn
jocôs ar lin Lizzie. Mae hi wrth ei bodd yn sugno losin mint a
gafodd gan Luther, sydd hefyd yn sugno losin mint, ei freichiau
wedi'u plygu, ei lygaid ynghau. Breuddwydio ar ddi-hun a wna
Jane a dychmygu ble mae Ifan Bach y funud hon. Oes rhywun
yn ei fagu? Neu falle ei fod yn cysgu yn ei grud bach pren, ei
chrud bach hithau a'i brodyr a'i chwiorydd.

*

Marged sy'n ei fagu. Mae'r siôl fawr wen yn gynnes amdano wrth iddi ei gario drwy'r caeau – Cae Brwyn a Chae Pella – at ymyl y clogwyn. Mae'r olygfa, fel arfer, yn mynd â'i gwynt. Glesni'r môr a'r awyr yn toddi i'w gilydd ar y gorwel, gwyrddni'r tir wedi'i bupro â melyn y daffodils a'r eithin, a smotiau gwynion o ddefaid ac ŵyn. Bore braf o wanwyn ar arfordir Ceredigion, a'r tir yn dechrau cynhesu er bod yr awyr yn dal yn fain.

– On'd y'n ni'n lwcus, Ifan Bach?

– Diolchwn i Ti, O Arglwydd, am y cyfle hwn i offrymu'n diolch am gael gweld arwyddion Gwanwyn arall yn y tir, arwyddion sy'n llawn gobaith am fywyd newydd . . . Mae hi'n Wanwyn newydd ar un o'n haelwydydd ffyddlona ni, aelwyd Ffynnon Oer, a babi newydd wedi dod i gyfoethogi'r teulu bach. Bydded dy ofal tirion Di dros Ifan Bach, weddill ei oes . . .

*

– Beth oedd gan yr Apostol oedd hyn, gyfeillion annwyl! Mae'n rhaid i ni weld yn glir! Yn glir, gyfeillion! Nid drwy ddrych! O na! Nid drwy ddrych, ond wyneb yn wyneb! A chofiwch hyn! Ie, cofiwch hyn! Ein gweld ni ein hunain wnawn ni mewn drych! Gweld yr Arglwydd Iesu wnawn ni wyneb yn wyneb!

– Na!
Mae'r *chaise longue* yn gwichian wrth i Hannah wthio Dan i ffwrdd.
– Ond pam?
– Ma' gin i ofn . . .
– Ofon beth?
Mae Hannah'n cymoni'i dillad ac yn clymu ei gwallt tywyll yn ôl yn y ruban coch.
– Ofn mynd rhy bell. Dwi'm 'di gneud hyn erioed . . .
– Wy'n dyall yn iawn . . .
Mae hi'n gwenu arno ac yn cwtsho o dan ei gesail. Caiff yntau gyfle i gael pip ar y cloc. Drat! Mae'r amser yn prinhau . . .

'Erys ffydd, gobaith a chariad...' Ie, ffydd, a gobaith, a chariad, gyfeillion annwyl! A'r mwyaf o'r rhai hyn yw – cariad! A 'dach chi'n gwbod pam, gyfeillion? Oherwydd nad oes ofn mewn cariad... 'Y mae perffaith gariad yn bwrw allan ofn.' Amen...

Mae Luther yn agor ei lygaid wrth glywed yr 'Amen' rhagrithiol yn atseinio o'i gwmpas.

– A rŵan mi ganwn ni rif yr emyn dau gant un deg a thri – *two hundred and thirteen* ... 'Dyma gariad fel y moroedd...'

– Ond Hannah, 'sdim isie i ti fecso. Ma' fe'n rhywbeth sy'n digwydd yn naturiol rhwng dou gariad. A fe edrycha i ar dy ôl di.

– Dan, wyt ti'n 'y ngharu i?

Yn sŵn y cloc sy'n tician uwch ei ben, cusan angerddol ar ei gwefusau yw ateb Dan i gwestiwn Hannah.

Mae'r Parchedig William Jones yn ymddiheuro ei fod yn gorfod rhuthro adref at ei ferch yn hytrach na dal pen rheswm ymhlith ei braidd o flaen drysau'r capel. Fe gwyd ei het a brysio ymaith. Does dim sôn am Luther, chwaith. Dihangodd yng nghanol yr emyn olaf. Cinio – a'r ffaith y bydd tri ychwanegol rownd y ford – sydd ar feddwl Annie wrth gasglu ei thylwyth ynghyd – Jane, sy'n sefyllian ar y cyrion, John a Lizzie a Gwen wedi'u hamgylchynu gan dwr o bobol sy'n awyddus i'w croesawu i'r ddinas fawr, ac Isaac. Ble mae Isaac? Mae yntau hefyd ar y cyrion, yn tynnu ar ei sigarét yn nerfus. Daw Annie ato a rhoi pwniad bach i'w fraich.

– Isaac! 'Ma dy gyfle di! Cer i ga'l gair â Pritchard!

– Dim nawr, Annie.

Pwniad arall, gwthiad i gyfeiriad Pritchard, ac mae Isaac yn gorfod clirio'i lwnc.

– Pritchard! Ynglŷn â'r tŷ ofnadw 'na yn Warwick Street...

– Dim nawr, Isaac...

Mae Pritchard yn taflu'i sigarét ac yn gwthio heibio i Isaac. Ond saif yn stond wrth ddod wyneb yn wyneb â Robert, sy'n gwenu'n hawddgar arno.

– Ffor' yma – gyfaill ... Rŵan!

Mae Pritchard yn hofran am ddwy eiliad, cyn ei ddilyn i mewn i'w gar, yn union fel ci bach.

Mae'r *chaise longue* yn gwichian i gyfeiliant tuchan ac ochneidio Dan a Hannah. Mae sgert Hannah dros ei chluniau ac mae Dan yn ymbalfalu o dan ei blows, gan regi'n dawel fach y sawl a gredodd bod botymau a lasys a rubanau'n angenrheidiol ar ddillad isaf merched.

– Dwi yn dy garu di, Dan . . .

– A finne, tithe, Hannah fach . . .

Byddai'n ei charu hi cymaint yn fwy heb y trimins lletchwith hyn.

Mae Robert yn eistedd yn ei gar, Pritchard wrth ei ymyl, yn gwylio plant bach swnllyd yn chwarae hopscotch ar y pafin. Yn hamddenol braf, cydia Robert mewn amlen o boced ei got a'i chwifio o flaen trwyn Pritchard.

– Eich help chi efo prynu'r lle yn Covent Garden, a'ch addewid i gael lle gwell i fyw i John, fy nai, a'i deulu. Dallt?

– Odw . . .

– Addo?

– Addo . . .

Cymer Pritchard yr amlen a'i rhoi'n ddwfn yn ei boced.

– Wyddoch chi, Pritchard, taswn i'n rhoi anrheg i'r plant bach acw, mi fasan nhw'n deud 'diolch'.

Eiliad o betruso cyn i Pritchard sibrwd ei ddiolch yn llywaeth ac agor drws y car. Mae Robert yn estyn ei law iddo.

– Da was . . .

Ysgwyd llaw yn sydyn ac mae Pritchard ar ei ffordd. Mae Robert yn ei wylio'n gweu ei ffordd drwy'r plant.

– Da was, da a ffyddlon . . .

Rhewa'r ddau wrth glywed gwich y glwyd a llais y Parchedig William Jones yn cyfarch ei gymydog. Yna maen nhw ar eu traed yn cymoni'u dillad. Mae'n rhaid i Dan roi help llaw i Hannah gyda'r holl fotymau a lasys a rubanau. Gyda lwc, mae William a'i gymydog yn trafod y tywydd a chyflwr yr ardd a'r newyddion diweddaraf o Iwerddon. Yna swn ei draed yn cerdded i fyny'r llwybr at ddrws y ffrynt. Cyn i'r allwedd lithro i dwll y clo mae Dan wedi gafael yn ei got a rhuthro allan drwy'r *french windows*. Erbyn i'r Parchedig William Jones ddod i mewn i'r cyntedd a galw ei henw mae Hannah wedi mynd i orwedd unwaith eto ar y *chaise longue*. Pan ddaw i mewn i'r ystafell mae hi'n bictiwr o barchusrwydd, er bod gwrid rhyfedd ar ei bochau.

– Hannah fach, sut wyt ti erbyn hyn?

– Yn well o lawar, diolch, Tada.

– Da iawn. Mae 'na well lliw ar dy focha di nag oedd 'na gynna.

HAF, 1921

Mae rhywbeth mawr ar feddwl Sara Jones. Sylla ar y babi bach ym mreichiau'r Parchedig Harri James wrth iddo holi 'Pwy yw rhieni'r plentyn hwn?' ac ar wynebau Ifan ac Esther Jenkins wrth iddyn nhw ateb 'Ni'. Ond, yn wahanol i bawb arall, does dim gwên ar ei hwyneb pan rydd y babi wich fach wrth deimlo'r dŵr oer ar ei dalcen, na phan y dywed Harri'n addfwyn 'Fe'th fedyddiaf di, Ifan Enoc Jenkins, yn enw'r Tad, y Mab a'r Ysbryd Glân . . .'

*

Bore Sul, bore braf o haf ac mae Jane fach Jenkins yn Hyde Park, yn gwylio'r teuluoedd dedwydd yn eu helfen yng ngwres yr haul. Mae 'na blant yn chwarae yn y dŵr ac oedolion wedi torchi sgertiau a throwsusau yn eu gwylio; mae 'na rai yn taflu pêl, yn chwarae cuddio ac yn gwthio cylchoedd; mae 'na dadau'n cario'u plant ar eu hysgwyddau neu'n cwrso plant afradlon; mae 'na famau'n bwydo'u babis . . . Ond mae meddwl Jane ymhell yng nghapel bach Brynarfor.

*

Babi bach jocôs iawn yw Ifan Enoc Jenkins. Caiff ei drosglwyddo, yn ei wisg wen a'i fonet lês, o gôl i gôl yn barsel bach bodlon, a sylla â llygaid mawr glas ar y wynebau addolgar o'i gwmpas.

Am unwaith nid yw Rhys yn syllu ar Martha. Sara sy'n mynd â'i fryd yn llwyr. Mae'r ddau'n eistedd ar y wal draw wrth glwyd y fynwent, ar wahân i'r gweddill i gyd. Mae braich Rhys am ysgwyddau ei chwaer ac mae hi'n pwyso'i phen yn ei herbyn.

Ond daw llais eu tad i darfu ar ei hagosatrwydd. Mae ei orchymyn i Sara 'i stopo'r pwdu 'na' yn hyglyw i bawb. Mae pawb yn edrych arni'n dringo i mewn i'r gambo at ei rhieni ac yn eistedd fel delw wrth i'w thad ei yrru'n wyllt i lawr y ffordd. Ac mae pawb yn siglo'u pennau'n ddwys.

O un i un, o deulu i deulu, gan gynnwys teulu Ffynnon Oer sy'n disgwyl y ffotograffydd i alw heibio, mae pawb yn ymlwybro at eu cartrefi. Does neb ar ôl ond Rhys a Martha, sy'n eistedd yn dawel a diddweud wrth glwyd y fynwent. Mae Martha'n gafael yn ei law chwyslyd.

– O'dd hi'n uffern iddi'r bore 'ma . . .

Cyn i Rhys gael cyfle i'w hateb daw Harri atyn nhw a theimla Martha law Rhys yn tynhau.

– Shwt y'ch chi'ch dou? Ma' hi'n ddwyrnod mowr i chi yn Ffynnon Oer, Martha.

– Ody . . .

Synhwyra Harri'r tyndra'n syth a phenderfyna beidio ag ymyrryd mwy. Gwna esgus ei bod yn bryd iddo fynd adref i gael cinio cyn i'w howsciper ddod i chwilio amdano a diflanna lawr y ffordd. Mae Rhys yn ei wylio'n pellhau cyn poeri ei gynddaredd.

– Ie, cer i'r jawl!

– Gan bwyll nawr, Rhys. Do's dim hawl 'da ni 'i feio fe!

– Pam? Fe sy'n mynd i dorri'n whâr fach i mas o'r Seiat!

*

Gan fod Robert Roberts yn dod i ginio, rhaid rhoi'r trimins i gyd – y lliain lês a'r llestri gorau – ar y ford. Mae Annie'n siarad fel pwll y môr, yn rhannol am ei bod hi'n teimlo'n anesmwyth bob tro y caiff ymweliad gan ei brawd-yng-nghyfraith, yn rhannol er mwyn ceisio codi calon Jane. Gŵyr Annie'n iawn bod heddiw, ddiwrnod bedydd Ifan Bach, yn uffern iddi. Gŵyr fod y misoedd diwethaf ar eu hyd wedi bod yn uffern. Ond heddiw, fe gronnodd y diflastod hir yn ddagrau yn llygaid ei nith.

– Chollest ti'm lot wrth b'ido dod i'r cwrdd. Dim ond antics arferol Luther. Dod miwn yn hwyr, yn drewi o gwrw, a stwffo'n sŵn i gyd i sêt Mr a Mrs Emlyn Jones fel 'se fe berchen y lle. Cofia, dyw e ddim yn becso rhyw lawer arna i. Fel wyt ti'n gwbod, wy'n itha lico'r boi. Ond o'dd ambell un – a ti'n gwbod yn iawn pwy s'da fi – yn grac ofnadw . . .

65

Yn sydyn fe sylweddola Annie bod Jane yn llefen y glaw.

– Jane fach annw'l, cwyd dy galon. Ma' heddi'n anodd, ond fe wellith pethe.

– Ond fe fydd 'na rwbeth i'n atgoffa i o hyd! 'I fedydd e, 'i ben blwydd e, bob Nadolig . . . Megis dechre ma'r gofid i fi – ontefe?

Dyw Annie ddim yn ei hateb. Ond gŵyr bod Jane yn llygad ei lle.

*

Erbyn hyn, mae'r ddau'n cerdded at y tro i Ffynnon Oer. Wel, brasgamu a wna Rhys, a Martha'n rhedeg ar ei ôl.

– Rhys! Paid â bod fel hyn!

– Shwt fyddet ti'n teimlo 'se dy whâr yn goffod godde fel Sara ni?

– Fydden i'n grac ofnadw.

– Fyddet ti nawr?

– Wrth gwrs y bydden i.

Mae hi'n gafael yn ei fraich ac yn ei orfodu i aros. Maen nhw'n syllu ar ei gilydd. Ac yna mae Rhys yn sibrwd, a dagrau yn ei lygaid.

– Fe, dy weinidog bach neis di, sy'n mynd i' thorri hi mas. Fel 'se disgwl plentyn siawns ddim yn ddigon, fel 'se goffod godde tymer Dat a dagre Mam ddim yn ddigon . . .

– Ma'r peth yn uffernol . . .

Ennyd o ddistawrwydd, a Rhys yn dal i syllu arni.

– Os yw e mor uffernol – pam na 'nei di rwbeth? Pam na wedi di rwbeth? Pam na chei di air ag e – dy Barchedig Harri Dduwiol James di? Wedi'r cwbwl, ma' 'da ti feddwl y byd ohono fe!

Mae Martha'n gollwng gafael ar ei fraich.

– Wel? Wy'n gweud y gwir – on'd odw i?

Cerdda bant oddi wrthi. Sylla hithau arno'n mynd.

Erbyn iddi gyrraedd Ffynnon Oer mae'r ffotograffydd wedi gosod ei stondin yn yr ardd ac yn gorchymyn pawb i sefyll neu i eistedd yn ôl y galw ar stolion a osodwyd yng nghanol y rhosys a'r lupins a'r fuschia gwyllt. Ond mae pethau wedi dechrau mynd ar chwâl a'r ffotograffydd yn dechrau colli pob amynedd. Mae'r gwres yn llethol, y babi'n dechrau grwgnach, Mrs Jenkins yn grac nad yw Martha wedi cyrraedd a Mr Jenkins yn atgoffa pawb ei bod hi'n amser cinio ac yn holi beth yw'r holl ddwli 'ma wir? Ond ar ôl rhoi cerydd i Martha am fod yn hwyr, cerydd i Morgan am fod ei drwyn, eto fyth, mewn llyfr, a cherydd i Marged am ddim byd yn arbennig, mae Mrs Jenkins, a'r babi yn ei chôl yn eistedd yn gefnsyth, yn gwenu'n llym ar y camera. Mae Mr Jenkins yn eistedd gyda hi, Morgan wrth ei ochr, a Martha a Marged yn sefyll un bob pen i Mrs Jenkins.

– Llonydd! Pawb yn barod? Gwenwch! Cowntwch lan i ddeg!

Clic!

Aildrefnu, mwy o orchmynion, mwy o chwys a chyfri lan i ddeg.

Clic!

Llun o'r tad a'r fam a'r babi, llun o'r brawd a'r chwiorydd a'r babi, llun o'r babi ar ei ben ei hunan, wedi'i osod yn y *perambulator*, gobenyddion yn ei gynnal, ei fonet lês yn gam. Crycha'i dalcen rhag yr haul.

Dyma'r llun a fydd yn peri gofid i sawl un.

*

Mae Robert Roberts yn arllwys diferyn bach o Port i wydr.

– 'Dach chi'm yn meindio, Isaac?

– Rhyngoch chi a'ch cydwybod, Robert bach.

– A'r diafol – meddylia Dan.

– Dwi yn eich edmygu chi, Isaac, am gadw at lythyren y *Pledge*.

– 'Sdim byd haws.

– Ella wir. Cofiwch chi, er nad ydw i'n ddirwestwr, dwi'n gymedrolwr pybyr!

Yr un sgwrs fisol. Yr un ymateb smala gan Dan, yr un ymateb swrth gan Annie sy'n dianc allan i'r gegin. Heddiw, mae Jane hefyd yn codi o'r ford ac yn ei dilyn. Wrth sipian ei Bort mae Robert yn holi Isaac a Dan beth sy'n bod ar y menywod? Beth sy'n poeni'r ddwy? Mae Isaac yn byseddu ei fwstásh.

67

– Annie yw Annie. Ond y'ch chi'n cofio taw heddi ma' bedydd Ifan Bach?

– Damia – nag oeddwn.

Mae Robert yn codi'i wydr.

– Iechyd, a hir oes i Ifan Bach . . .

Llyfa Dan ei wefusau wrth ei weld yn yfed dracht go fawr . . .

*

Sŵn y gyllell yn torri drwy'r cig eidion yw'r unig sŵn yng nghegin Ffynnon Oer. Mae hi'n rheol anysgrifenedig nad oes neb yn siarad ar ôl y Fendith, nes bod y cig a'r llysiau a'r grefi'n llenwi'r platiau. Ond heddiw, bwriada Martha herio mwy na rheol bitw. Mae ei llais yn torri drwy'r distawrwydd.

– Odych chi'n bwriadu mynd nos fory?

Eiliad o edrychiad rhwng ei thad a'i mam.

– Odych chi'n mynd i'r Seiat – i dorri Sara Jones Tynrhelyg mas?

Eiliadau eto o edrych ar ei gilydd, ac Ifan yn gosod y gyllell yn ofalus ar y plât a Morgan a Marged Ann yn suddo i'w cadeiriau gan ddymuno bod yn rhywle arall. Ac yna mae Esther yn ateb yn dawel ac yn bwyllog.

– Mater i dy dad a finne yw hynny, Martha.

– Y'ch chi *yn* bwriadu mynd! A fe 'newch chi godi'ch dwylo yn 'i herbyn hi! Ffor shêm!

– Martha, gewn ni drafod hyn rywbryd 'to?

– Na. Fe drafodwn ni fe nawr! Yr annhegwch, y rhagrith . . .

– Martha, glywest ti dy fam.

– Y gair 'rhagrith' yw'r broblem i chi, ontefe? 'Sneb yn lico cyfadde 'u bod nhw'n rhagrithwyr. Ond 'na beth y'n ni yn y teulu 'ma! Rhagrithwyr, sy'n folon twyllo pawb ymbytu Ifan Bach. Cadw cefen Jane – a rhoi cyllell yng nghefen Sara!

Yn sydyn mae dwrn Ifan yn taro'r ford nes bod cyllyll a ffyrc a llestri a grefi'n tasgu a gwasgaru dros y lle i gyd.

– Reit, 'y merch i! Mas!

Llygaid pwy sy'n tasgu fwyaf, y tad neu'r ferch? Y ferch sy'n gorfod ildio. Cwyd o'i chadair a rhuthro allan gan adael pedwar syfrdan wrth y ford yn syllu ar eu platiau gwag. Mae Marged

Ann yn crynu gormod i feddwl bwyta dim. Pan afaela Ifan yn ei gyllell a'i fforc mae ei ddwylo yntau'n crynu.

*

Chwarae â'r bwyd sydd ar ei phlât a wna Jane, rhwng llyncu ambell ddiferyn o ddŵr. Mae'r sgwrs o'i chwmpas, heb sôn am y lluniau yn ei phen o fabi bach mewn gŵn bedyddio gwyn, yn ei llethu.

– Be wnawn ni efo'r cyn-Barchedig Luther Lewis, 'dwch?

– Rhoi bar o sebon iddo fe a'i hwpo fe i dwba o ddŵr!

– Dan, paid â bod mor smala! A gadwch lonydd i'r hen Luther.

– Ond mae o'n torri ar urddas y gwasanaeth. Yn difetha petha i bobol eraill.

– Allwn ni byth â gweud bo' dim croeso iddo fe yn y cwrdd.

– Pam lai?

– Am 'i fod e'n neud y cwrdd yn llai diflas – 'na pam!

Fe ddywedodd Dan y gwir. Ond mae Jane yn mentro torri ar y chwerthin.

– Alla i byth â chredu hyn! Y'ch chi'n wherthin am ben sant o ddyn! A y'ch chi'n styried 'i dorri fe mas o'r cwrdd! 'Ma beth yw Cristnogeth!

*

Mae'r Parchedig Harri James yn eistedd o dan goeden afalau yng ngardd y Mans, het wellt ar ei ben a chopi o *Theomemphus* a photelaid o lemonêd cartref ar y ford frwyn o'i flaen. Cafodd ginio da, fel arfer. Mae Leisa, ei howsciper, yn edrych ar ei ôl fel mam. Onid oes ganddi fab o'r un oed â'r gweinidog bach golygus, swil? Er gwaethaf ei olwg bachgennaidd a'i ddiffyg profiad bugeiliol – yr alwad i Frynarfor y llynedd oedd ei alwad gyntaf – mae ei ymarweddiad yn un aeddfed. Ac mae ei allu ymenyddol yn chwedlonol. Prifysgolion Aberystwyth a Rhydychen, cyfnod yng Ngenefa – cafodd yrfa academaidd ddisglair. Ond gŵyr pawb hefyd mai'r cam cyntaf ar ysgol brofiad hir fydd ei gyfnod ym Mrynarfor. Bydd ei allu a'i ynni a'i ddelfrydau a'i ddyheadau yn ei arwain ymhell o'r capel bach at bethau llawer mwy.

69

Yn y cyfamser, bodlona ar eistedd yng nghysgod y goeden afalau, blas pwdin reis yn ei geg, yn pori yn *Theomemphus*. Ond fe'i clywn yn ochneidio. Fe'i gwelwn yn pwyso'n ôl yn ei gadair gan blethu'i fysedd yn dynn. Mae'r hyn fydd yn digwydd nos fory yn ei flino'n fawr.

Ar glos Tynrhelyg mae Martha'n eistedd gyda Sara sy'n magu dwy gath fach ychydig oriau oed. Mae tair fach arall yn sugno'u mam mewn bocs pren ar y llawr.

– Ma'n rhaid i fi ddewis un o'r pump . . . Hi fydd yn ca'l byw, a'r lleill yn ca'l 'u boddi.

Mae hi'n astudio'r un fach drilliw sy'n ymbalfalu'n ddall yn ei llaw dde.

– Ti?

Ac yna'r un fach ddu sydd yn ei llaw chwith.

– Neu ti?

Yn sydyn mae hi'n rhoi'r ddwy yn y bocs ac yn eu gwylio'n sathru dros y tair arall er mwyn cyrraedd tethi'r fam a sugno'n wyllt. Yna mae hi'n troi at Martha.

– Ti'n gwbod beth alwodd Dat fi'r bore 'ma? Slwten! 'Hen slwten fach wyt ti', medde fe. Ond o leia ma' fe'n siarad â fi. Y cwbwl ma' Mam wedi'i neud 'ddar i fi 'gyfadde 'mhechod' yw llefen. 'Na fe, croten ddrwg odw i, ontefe? Un sy'n haeddu popeth geith hi. 'I thorri mas a chwbwl!

– Paid â siarad dwli! A phaid â gadel iddyn nhw weud pethe fel'na wrthot ti! A gwed wrtha i – beth alla i neud i helpu?

– Ma' ca'l siarad fel hyn yn help.

– Licen i neud mwy na 'ny.

– 'Sdim i neud. 'Mond wynebu popeth . . . O, Martha, o'dd bedydd dy frawd bach di'r bore 'ma mor neis. Pawb yn hapus, pawb yn dwlu arno fe – dy rieni di, dy frawd a dy whâr, y pentre i gyd. A ti'n gwbod beth o'dd yn mynd drw'n meddwl i? Do's neb isie 'mhlentyn bach i. Neb ond fi. Ond shwt alla i 'i fagu fe ar 'y mhen 'yn hunan?

– Paid â mynd o fla'n gofid, Sara fach.

Y gwir yw fod y gofid eisoes wedi gafael yn Sara a'i gwasgu hi'n dynn yn ei feis.

*

70

Er mai sibrwd a wna Robert, mae Isaac yn ymbil arno i gadw'i lais i lawr rhag i Annie glywed. Golchi'r llestri yn y gegin mas y mae hi a Jane, a'r dynion yn smocio sigârs Robert.

– Dwi'm yn dallt, Isaac bach, pam na ddeudi di wrthi beth bynnag.

– Achos dyw e ddim busnes iddi hi.

– Chi'n whare â thân, Dat bach!

– Be am i ti, Daniel, fynd allan am dro?

Ar ôl gwgu ar ei ewyrth mae Daniel yn ufuddhau iddo. Ond, yn dawel fach, fe ddechreuodd flino ar ufuddhau i Wncwl Robert. Fe ddechreuodd feddwl ei bod yn hen bryd iddo ddweud wrtho am fynd i'r diawl. Ond daw cyfle i wneud hynny eto. Yn y cyfamser, bodlona Daniel ar chwythu mwg i'w wyneb a chlepian y drws.

Y tu ôl i'r drws caeedig mae'r brodyr-yng-nghyfraith yn trafod eu menter fusnes.

– Mae o'n newyddion gwych, Isaac. Arwyddo'r cytundab yr wythnos nesa, er gwaetha tricia dan-din y llyffant, a'r holl bres 'dan ni wedi'i golli . . .

– Shh!

– Nefi wen! Pam wyt ti'n celu'r peth rhagddi?

– Gad ti Annie i fi.

– O, mi wna i, Isaac bach. Rhyngot ti a dy gawl. Yn y cyfamser mi gei di freuddwydio am yr holl bres fydd yn dy boced di pan fydd y 'Croeso Cafe' wedi agor.

– Ca'l hunllefe fydda i – am bocedi gwag.

– 'O chwi o ychydig ffydd'!

Rhaid dod â'r sgwrs i ben yn sydyn pan ddaw Annie a Jane i mewn, yn llwythog â basgedi o fwyd – sbarion y cinio – i John a Lizzie.

– Jane, mi gei di ddŵad efo mi yn y motor car.

– Dim diolch, Wncwl Robert. Ma'n well 'da fi gerdded.

– Be wnawn ni efo'r genod ifanc yma, Isaac? Maen nhw'n mynd yn independant ar y naw!

– Pob lwc iddyn nhw weda i! – yw ateb miniog Annie.

– Isaac, dwi'n meddwl bod gin ti broblam! Mae dy wraig yn gwyro at y Suffragettes!

– Twt, 'sdim isie dim o'u nonsens nhw yn y tŷ 'ma! A

chymer di gyngor dy Wncwl Isaac, Jane. Bydd yn ofalus wrth grwydro'r strydo'dd ar dy ben dy hunan.

– A chyngor gin dy Wncwl Robert . . .

Ond mae Jane yn diflannu drwy'r drws. Mae Robert ar fin arllwys mwy o Port i'w wydr, ond gafaela Annie yn y botel a gwthio'r corcyn yn sownd i'w le.

– Cerwch â hon gatre 'da chi, Robert. 'Sneb 'i moyn hi yn y tŷ 'ma.

Diolcha Robert i Dduw nad oes ganddo ddynas fel hon i'w blagio.

Mae 134B Becket Road yn frenin o'i gymharu â 6, Warwick Street. Cegin, dwy ystafell wely fach, parlwr mawr cysurus a thŷ-bach cymunedol yn yr iard. Mae'r dodrefn a gasglwyd dros y misoedd diwethaf, gan gynnwys canhwyllbren Cohen, yn barchus yn eu lle ac yn edrych yn ddigon chwaethus ac urddasol ar ôl i Lizzie ychwanegu ei chyffyrddiadau bach fan hyn a fan draw. Llenni o'i gwaith ei hun dros y ffenestri, carthen a chlustogau lliwgar ar soffa frown a welodd ddyddiau gwell, lliain *chenille* coch i guddio'r hen ford hyll, a matiau ar y llawr. Mae gan Lizzie ei chornel bach ei hun. Yno mae ei pheiriant gwnïo – un o drysorau siop Cohen. Yno hefyd mae dymi teiliwr, llyfrau o batrymau dillad, cylchgronau ffasiwn a rholiau o ddefnyddiau amryliw yn pwyso yn erbyn y wal.

Pan gyrhaedda Jane mae John a Gwen, sy'n cario'r hen Jemeima ffyddlon o dan ei braich, ar fin ymadael i fwydo'r hwyaid yn y parc. Mae Jane ar fin gofyn ble mae Lizzie pan glyw sŵn bwldagu'n dod o'r gegin. Lizzie sy'n plygu dros y basin, yn chwydu ei pherfedd.

*

Does dim troi'n ôl nawr. Mae Harri wedi ei chyfarch, wedi estyn cadair iddi a gwydraid o lemonêd, a nawr dyma fe'n gofyn beth yw ei neges. Ond wrth edrych ar ei wyneb agored a'i wên gynnes o dan ei het wellt, mae Martha'n dechrau difaru iddi ddod yma o gwbwl. Does ganddi ddim i hawl i fod yma, a dim hawl i ddweud yr hyn sydd ar ei meddwl.

Oes, mae ganddi berffaith hawl. Ond, a chledrau ei dwylo'n diferu o chwys, penderfyna ofyn cwestiwn iddo yn hytrach na dweud ei dweud.

– Mr James, beth fydd testun y bregeth heno? Goddefgarwch? Neu faddeuant?

Mae 'na ddadl boeth yng nghegin mas Ffynnon Oer.

– Ifan, ma' Martha'n hollol iawn! Rhagrith noeth yw e!

– Ond Esther fach, 'sdim dewis 'da ni! 'Sdim dewis 'da fi fel blaenor. 'Sda ti na fi ddim dewis fel aelode o'r Henadurieth. A ta beth, y'n ni wedi neud yn gwmws yr un peth sawl gwaith o'r bla'n.

– Ond ma' pethe'n wahanol y tro 'ma!

– 'Na'n gwmws pam ma' raid i ni ddilyn y drefen! So ti'n gweld? Os na chodwn ni'n dwylo dros dorri Sara Tynrhelyg mas, fydd pobol yn dechre siarad.

Eiliad o sylweddoli gwir eironi'r sefyllfa, ac mae Esther yn troi ac yn mynd i mewn i'r gegin. Yno mae Morgan a Marged yn eistedd wrth y ford, un yn esgus darllen a'r llall yn esgus tynnu llun.

– Beth y'ch chi'ch dou'n neud fan hyn yn glustie i gyd, a hithe'n ddwyrnod mor ffein!

Gafaela yn Ifan Bach o'i grud a'i sodro ym mreichiau Marged.

– Mas â chi! A ewch â'r babi 'ma 'da chi! Cerwch!

Ar ôl iddi eu hysio drwy'r drws, a'i gau ar eu holau, mae hi'n sylwi bod Ifan yn pipo arni drwy ddrws cilagored y gegin mas.

– Gan bwyll, nawr, Esther fach. Gan bwyll . . .

Bellach, does dim pall ar ddicter Martha.

– Ma'r cwbwl mor annheg! Y ferch yn ca'l 'i chosbi, a'r crwt yn ca'l llonydd. Yr un hen stori!

– Dyw hi ddim am enwi'r crwt.

– Whare teg iddi, ontefe!

Yn sydyn fe wêl Harri gorff nobl Leisa'n hofran rhwng y rhododendron.

– Leisa! Ma' hi'n tynnu am dri. Well i chi fynd gatre ne' fydd Seimon yn ffaelu dyall le y'ch chi.

73

Mae Leisa'n mwmblian ei ffarwél ac yn phit-phatian ei ffordd tuag at y tŷ, yn amlwg wedi'i siomi na chaiff glywed mwy o sylwadau croten Ffynnon Oer. Gŵyr pawb un fach mor siarp yw hi, un fach mor llym ei thafod. A nawr dyma hi'n pregethu wrth Mr James y gweinidog yn erbyn torri Sara Jones Tynrhelyg mas! 'Ma beth fydd stori gwerth ei hadrodd!

Mae'r groten siarp a llym ei thafod yn sipian ei lemonêd ac yn syllu ar y gath lwyd sy'n cysgu o dan y llwyni leilac. Yna mae hi'n gosod ei gwydr ar y ford ac yn sibrwd.

– Wedi ca'l siom fowr odw i, mewn pobol sy'n 'u galw'u hunen yn Gristnogion.

– Gan 'y nghynnwys i?

– Ie. Achos o'n i'n credu bo' chi'n wahanol . . .

Dyma hi'r groten siarp a llym ei thafod yn cael ffwdan i ddweud yr hyn sydd ar ei meddwl. Ond does dim peryg iddi ildio. Fe ddywedodd ormod eisoes i dynnu'i geiriau'n ôl. A beth bynnag, fe ŵyr yn ei chalon ei bod yn dweud y gwir.

– Pan ddaethoch chi 'ma, yr enw arnoch chi o'dd 'Radical'. A o'dd ambell un – yr hen bobol gul, sych-dduwiol – ddim yn lico 'ny. Ond do'dd dim isie iddyn nhw fecso, o'dd e?

Cwyd ei llygaid i edrych arno. Tybed a aeth hi'n rhy bell? Na, fe wena'n addfwyn arni a chynnig mwy o lemonêd.

– 'Sdim byd fel lemonêd yr hen Leisa i dorri syched. A i dorri dadl.

– Dim dadle odw i. Pregethu.

– Yn huawdl iawn hefyd.

Mae rhywbeth llawer mwy nag addfwynder, llawer mwy nag edmygedd yng ngwên Harri. Ond dyw Martha ddim yn sylweddoli hynny.

– Gwranda, Martha, ma' 'nghydymdeimlad llwyr i gyda Sara.

– Ma' isie mwy na hynny arni! Ma' isie rhywun i fod yn gefen iddi.

– Fe fydd 'i theulu hi'n gefen iddi, a'i chapel.

– Ma'r rheiny wedi cefnu arni'n barod!

– Wrth gwrs nag y'n nhw!

– 'I thorri hi mas! 'Na beth yw bod yn gefen!

– Fe geith hi 'i derbyn 'nôl . . .

– Ar ôl godde'r gwarth a'r anhapusrwydd!

74

– Ond ma'n rhaid i ti ddeall mai symbol yw 'torri mas' – i bwysleisio nod yr Eglwys i warchod safone.

– 'Gwarchod safone' yw cosbi merched drwg!

– Nage . . .

– Beth yw e, 'te? Rhybudd? Watshwch chi, ferched drwg, 'ma beth fydd yn digwydd i chi os ewch chi odd' ar y llwybyr cul!

– Dim cosb na rhybudd yw e, ond trio cynnig cymorth ysbrydol . . .

– Haleliwia! Pan fydd Sara'n sefyll o'ch bla'n chi nos fory, fe fydd hi'n ca'l cymorth ysbrydol?

– Martha, ma'r pwnc yn gymhleth . . .

– Yn rhy gymhleth i ryw damed o groten fel fi.

– Paid â rhoi geirie yn 'y ngheg i.

– Ma' hi'n anodd i fi ddadle â rhywun galluog fel chi. Rhywun sy'n gwbod y cwbwl am y pethe 'ma. Ond wy'n gwbod shwt wy'n teimlo . . . Yn grac . . . A mor drist . . . A chithe? Gwedwch wrtha i shwt y'ch chi'n teimlo. Fel dyn – dim fel gweinidog.

– Ma'r peth yn troi arna i. Ond . . .

– Ond?

– 'Na'r drefen, Martha. A ma' 'na bwrpas iddi.

– Wfft i'r drefen! Rhagrithwyr sy'n 'i chynnal hi!

– Fi – a phawb arall fydd yn codi'n dwylo nos fory – ife?

– Ie!

*

Mae Jane yn sychu talcen chwyslyd Lizzie, sy'n sipian gwydraid o ddŵr. Mae golwg drychiolaeth arni, ei hwyneb yn welw, ei gwallt melyn yn gudynnau llaith ar ei thalcen ac i lawr ei gwar.

– Lizzie fach . . .

Yn sydyn mae Jane yn gafael mewn crib ac yn dechrau cribo drwy'r clymau.

– Reit 'te, Lizzie Jenkins. Wyt ti a fi'n mynd mas. Ma' hi'n ddwyrnod ffein a ma' isie awyr iach arnon ni'n dwy.

– Fydde'n well 'da fi b'ido . . .

75

– 'Sdim dadle i fod. Nawr'te, taset ti'n ôl yn Ffynnon Oer, i le fyddet ti'n mynd ar brynhawn dydd Sul ffein?

Does dim angen i Lizzie feddwl ddwywaith.

– I Gilfach yr Halen.

– Iawn. Dere.

– I ble?

– I Gilfach yr Halen, groten!

*

Mae'r dŵr yn oer a'r cerrig mân yn brifo'i thraed. Ond does dim gwahaniaeth gan Sara. Bod yma sy'n bwysig, ar ei phen ei hunan ar draeth Gilfach yr Halen, ei sgert wedi'i chlymu uwchben ei phengliniau, ei thraed yn y dŵr a'i hwyneb at yr haul. Rhaid cerdded yn ofalus. Mae pyllau dyfnion annisgwyl yn y dŵr bas ac ambell graig finiog i'w hosgoi.

Mae llond ei phen o synau – yr ewyn yn dringo'r cerrig mân, y tonnau'n taro yn erbyn y creigiau, gwylanod yn sgrechen yn swnllyd uwch ei phen ac ambell bioden y môr yn pigo clic-clic-clic yn y gwymon ar wyneb y dŵr. Draw lle mae'r môr yn ddyfnach mae dau filidowcar yn plymio ac yn ymddangos bob yn ail. Ac ar graig lefn yn llygad yr haul mae un arall yn bolaheulo'n llonydd fel delw, ei adenydd ar led a'i ben yn ymestyn am yr awyr.

Mae hi'n cyrraedd carreg fawr yng nghanol clwstwr o byllau dyfnion ac yn eistedd arni. Y tu cefn iddi mae'r ogof sydd, yn ôl y sôn, yn arwain at dwnnel sy'n ymestyn ddeng milltir i mewn i'r tir, bob cam at Fanc Siôn Cwilt. Fe fentrodd hi a Rhys a'u ffrindiau sawl gwaith i mewn i'r tywyllwch gwlyb, lampau yn eu dwylo, eu lleisiau a'u chwerthin yn adleisio dros drip-drip-drip y diferion dŵr, a'r straeon am fôr-ladron a'u trysorau cudd yn llenwi eu dychymyg. Ond fentron nhw erioed yn bell iawn, a ffeindion nhw erioed mo'r trysor.

Hi a Rhys a'u ffrindiau – plant Pantrod, Oernant, a Ffynnon Oer. John, golygus, call, y bu mewn cariad ag e nes i Lizzie Rees gael gafael arno; Jane bert, benchwiban – beth yw ei hanes hi yn Llundain erbyn hyn? Martha alluog, a fu mor garedig wrthi'n ddiweddar; a Marged Ann a Morgan, fel Siôn a Siân y tywydd, bob amser gyda'i gilydd. Sawl gwaith, ar hyd y blynyddoedd, y buon nhw yma i gyd, yn golchi'u traed yn y môr, yn tasgu dŵr dros ei gilydd, yn casglu gwymon a chrancod a chocs mewn bwcedi ac yn cwato rhwng y creigiau? Mae hi'n chwarae ei thraed mewn pwll o ddŵr gan wasgaru'r crancod a'r mân bysgod bach lliwgar sy'n chwilota'n wyllt am guddfan. Yr unig greaduriaid disymud yw'r seren fôr a'r crachod a'r cocs sy'n glynu mor ddiffwdan wrth y graig.

Mae ei chefn at y clogwyn felly nid yw'n gweld *perambulator* mawr, a Marged Ann, a Morgan wrth ei sodlau, yn ei wthio, yn nesáu ar hyd y llwybr uwch ei phen. Maen nhw'n rhy bell oddi wrthi iddi glywed eu lleisiau.

– Druan fach â hi.

– Do'dd dim rhaid iddo fe ddigwydd.

– Doctor Morgan Jenkins wrthi 'to!

– Ond wy'n gweud y gwir. Ma' *Family Planning* mor hawdd y dyddie hyn. 'Sdim raid i neb ga'l babi os nag y'n nhw'n moyn. Fel ma' Mari Stopes yn 'weud . . .

– 'Se Marie Stopes wedi ca'l 'i ffordd fydde Ifan Bach ddim 'da ni nawr!

Ac mae Ifan Bach yn rhoi gwaedd o brotest.

*

– Gilfach yr Halen, wir!

– Ma'n rhaid i fi gyfadde, dyw e ddim cweit cystal. Ond ma' fe'n well na dim! Dere!

Er syndod a chywilydd mawr i Lizzie mae Jane yn tynnu ei hesgidiau a'i sanau, yn codi ei sgert a'i chlymu rownd ei chanol ac yn camu i mewn i'r dŵr. Does neb arall i'w weld yn synnu dim – neb o'r parau parchus sy'n cerdded fraich ym mraich, neb o'r teuluoedd sy'n cael picnic ar y borfa, neb o'r dwsinau sy'n chwarae pêl na neb o'r rhai, fel Jane, a fentrodd i ddŵr oer y Serpentine. Mae rhyddid llwyr i rywun wneud yn union fel y mynno yn Hyde Park ar brynhawn dydd Sul o haf. Ychydig mwy o anogaeth gan Jane ac mae Lizzie'n ymuno â hi ac yn teimlo ias y dŵr ar ei choesau. Cerdda'r ddwy fraich ym mraich, ling-di-long ar hyd ymyl y llyn, eu sanau yn eu bagiau, eu

77

hesgidiau yn eu dwylo. Ond er gwaetha'r haul, er gwaetha'r sbort o'u cwmpas, mae eu sgwrs yn troi'n ôl at ddau fabi fach – eu babis nhw eu dwy.

– Jane fach, ma' digon ar dy feddwl di heddi heb offod bod yn nyrsmêd i fi.

– Ma'r bedydd drosodd erbyn hyn. Alla i anghofio amdano fe.

Am y bedydd, falle, ond nid am y babi, meddylia Lizzie. Ond nid yw'n dweud dim gan fod Jane yn torri ar draws ei meddyliau.

– Lizzie, gwed y gwir . . . Dwyt ti ddim isie'r babi 'ma.

– Na.

– Ond pam?

– Dy'n ni ddim yn barod. Ma' hi'n ddigon tyn arnon ni nawr. Fe fydd babi arall yn broblem, a 'na ddiwedd arni.

Maen nhw'n cerdded am dipyn heb ddweud dim, yn ddwy groten droednoeth, bert. Mae'r naill yn meddwl am egin fabi nad yw hi am ei eni, a'r llall yn meddwl am fabi na fydd byth yn gwybod pwy yw ei fam.

Torrir ar eu meddyliau gan rywun sy'n eu cyfarch wrth eu henwau. Merch ifanc mewn ffedog a chap ffrils, yn gwthio hen wraig mewn cadair olwyn. Mae Jane yn ei nabod.

– Jinni! Shwt wyt ti?

– *I'm well, thank you, Jane.*

Ac ymlaen â hi gan i'r hen wraig ddechrau ysgwyd ei breichiau a thwtian yn ddiamynedd. Mae Jane yn gwenu.

– O't ti'n 'i nabod hi? Jinny Ifans – nage, 'Jennifer Evans' yw hi nawr.

– Jinny Ifans, Aeron Cottage? Nabydden i byth mohoni.

– Tipyn o ledi fach erbyn hyn. Fe dda'th hi i Lunden 'run pryd â fi i witho mewn siop *haberdashers*, wedyn mynd yn nyrsmêd i ryw deulu yn Hammersmith. A nawr ma' hi'n *Lady's Maid* ffor' hyn yn rhwle.

Mae Lizzie'n dilyn llygaid Jane draw dros y parc i gyfeiriad tai urddasol Bayswater â'u ffenestri hir a'u balconïau cerfiedig.

– Lwcus, ontefe Lizzie?

– Ti'n meddwl 'ny? Tendo rhyw grachach? Goffod gwisgo'r dillad dwl 'na?

– Ond ma' hi'n Nefoedd arni! Mas am wâc ar brynhawn ffein, reido yn y *carriage*, siopa yn Bond Street, te yn Claridges.

– Pawb â'i ddileit.

– 'Na beth fydda *i*'n 'neud – ryw ddwyrnod . . .

– Ie, glei. Os o's rhywun yn mynd i lando ar 'i thra'd, ti yw honno.

– Wel, fel ma' Dan y cefnder annwyl yn gweud mor amal – 'Pob un dros 'i hunan yw hi yn yr hen fyd 'ma'!

– Y gwir yw, wyt ti'r un mor lwcus â Jinni Ifans.

– O, dere!

– Wrth gwrs dy fod ti! Ma' dy deulu'n gefen i ti. Ma'n nhw'n magu dy fabi di, ma'r ddou wncwl yn dy gynnal di . . . Mae Lizzie'n distewi'n sydyn wrth weld y siom ar wyneb Jane. Fe ddywedodd ormod.

– Sori . . . O, Jane fach, o'n i'n gwbod taw fel hyn y bydde hi. Ddylen i ddim fod wedi dod. Wy'n teimlo mor isel wrth feddwl am y misho'dd nesa. Teimlo'n dost, arian yn brin – achos 'na ddiwedd ar y *dressmaking*. A fi a Gwen – a'r babi newydd – yn y twll lle 'na drw'r dydd. John wedi blino gormod i neud dim. Gwaith a gorffwys a dim byd arall . . . Yffach, pam symudon ni o Ffynnon Oer?

– Ti *yn* ddiflas, on'd wyt ti?

Ochenaid yw ateb Lizzie.

– Reit, 'na ddigon Lizzie Jenkins. Wyt ti'n mynd i ddechre enjoio. Ti'n mynd i ddechre heno. Fe ddown ni i'r canu emyne wrth Marble Arch, a wedyn fe ewn ni am wâc ar hyd yr Embankment. 'Sdim dal pwy welwn ni!

*

Gorffennwyd y lemonêd. Mae'r ddau'n cerdded at glwyd yr ardd, a Martha'n ymddiheuro am fod mor ewn. A hithau ar hanner brawddeg, mae Harri'n gafael yn ei llaw.

– Gwranda, Martha, ma' rhwbeth 'da fi i weud, rhwbeth y dylwn i fod wedi'i weud ers amser. Ma' 'da fi feddwl mowr ohonot ti, am fwy nag un rheswm. Wyt ti'n hardd, yn alluog, yn annibynnol dy feddwl – popeth ma' dyn yn whilo amdano fe mewn menyw.

79

– Mr James . . .

– Gad i fi gwpla . . . Wy'n sylwi arnat ti yn y Capel a'r Seiet a'r Ysgol Sul. A wy'n credu dy fod tithe'n sylwi arna i. Y gwir yw, Martha, licen i dy weld di 'to.

Gall Harri dyngu bod oes gyfan yn mynd heibio cyn i Martha ateb.

– Ma' gormod ar 'y meddwl i ar hyn o bryd.

Aiff oes arall heibio wrth i Martha agor y glwyd a cherdded oddi wrtho i lawr y lôn.

Mae Ifan Bach yn anniddig. Cafodd ddigon ar orwedd ar ei gefn yn syllu ar wylanod yn chwyrlïo yn yr awyr las. Mae rhywbeth yn ei grombil yn dweud wrtho ei bod hi'n amser te a bod angen tynnu sylw'r ddau sy'n ei warchod – un â'i ben mewn llyfr a'r llall yn tynnu llun â phensil. Penderfyna weiddi nerth ei ben a chwifio'i freichiau a chicio'i goesau pwt i weld beth fydd yn digwydd. Ar ôl sawl tro seithug daw Marged ato a'i godi.

– Ifan Bach, 'ma beth yw sŵn! Dere Morgan, ma' hi'n bryd mynd gatre.

Maen nhw'n casglu'r trugareddau i gyd ac yn eu llwytho i mewn i'r *perambulator*. Fe fydd gofyn cario'r babi cintachllyd bob cam i Ffynnon Oer. Ganllath ar hyd y clogwyn, daw Sara i gwrdd â nhw.

– Wel, wel, ti, Ifan Bach, sy'n neud yr holl sŵn 'ma! Beth ma'n nhw'n neud i ti, gwed?

Mae hi'n gafael ynddo'n dyner o freichiau Marged. Mae yntau'n stopio gweiddi ac yn crychu'i dalcen wrth geisio dyfalu pwy yw'r dieithryn sy'n syllu i'w wyneb.

– Ti'n un bach pert, on'd wyt ti? O't ti'n smart yn dy ddillad y bore 'ma. A ti'n tyfu bob dydd . . .

– Ma' fe'n gweiddi'n uwch bob dydd 'fyd!

– Da iawn, ti, Ifan Bach. Gwed ti wrth dy Wncwl Morgan. A gwaedda di arnyn nhw i gyd. Dangos iddyn nhw pwy yw'r bòs.

Wrth iddi gwtsho'r babi syfrdan yn dynn, dynn, mae'r efeilliaid yn llygadu'i gilydd. Mae rhywbeth od yn Sara heddiw. Sŵn cloch beic Rhys sy'n torri ar eu myfyrdodau.

– Sara! Fan hyn wyt ti! Well i ti ddod gatre. Ma' hi'n bryd mynd i'r cwrdd.

Esther Jenkins (Delyth Wyn)

Ifan Jenkins (Dennis Birch)

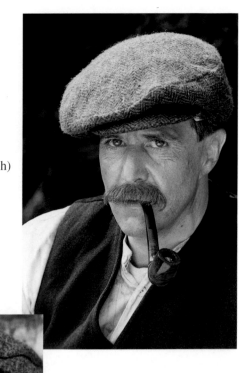

John (Rhydian Jones)

Lizzie (Helen Rosser Davies)

Jane (Llinor ap Gwynedd)

Martha (Nia Roberts)

Annie (Victoria Plucknett)

Isaac Jenkins (Emyr Wyn)

Daniel (Geraint Morgan)

Robert Roberts (Owen Garmon)

Grace Morgan
(Sara Harris-Davies)

Vera Thornton (Lesley Duff)

Isaac Cohen (Anthony Morse)

Luther Lewis (Ifan Huw Dafydd)

Gorsaf Paddington

Rhys (Ioan Evans)

Enoc (Gareth Morris)

Bet y Post (Gwenyth Petty)

Y Parchedig William Jones (Trefor Selway)

Hannah (Gwenfair Vaughan Jones)

Mae Sara'n dal i fagu Ifan Bach sy'n chwarae â'r ruban pinc sydd yn ei gwallt. Yna mae hi'n ei roi'n ôl ym mreichiau Marged ac yn troi at Rhys.

– Fe gân' nhw biclo'u cwrdd.

Edmygedd sydd yn llygaid Marged wrth ei gwylio'n cerdded yn llawn urddas ar hyd y clogwyn i gyfeiriad caeau Tynrhelyg. Ac wrth weld Rhys yn seiclo ar ei hôl ac yn rhoi ei fraich amdani'n dyner, mae Morgan yn rhoi ei fraich yntau am ysgwydd ei efaill.

Mae hi gered, unwaith eto, ar glos Ffynnon Oer. Does dim sôn am Marged Ann a Morgan, ac ni all Esther ond gobeithio i'r nefoedd bod Ifan Bach yn saff. A nawr dyma Martha'n cyrraedd fel petai hi'n berchen ar y lle, a hynny ar ôl bod bant yn rhywle drwy'r prynhawn.

– Ble wyt ti 'di bod ers orie?

– Mas.

– Mas yn ble? O 'sdim ots. Dere, ma' hi'n bryd mynd i'r cwrdd.

– Wy ddim yn dod.

– Pam? Ti'n dost?

– Allech chi weud 'ny.

– Paid â siarad mewn damhegion, groten!

– Iawn! Fe weda i wrthoch chi'n blaen! Ma' beth y'ch chi'n mynd i neud i Sara'n ddigon i'n hala i'n dost! Ma' rhagrithwyr fel chi'n 'yn hala i'n dost! Odych chi'n hapus nawr?

Y glatshen galed ar draws ei boch yw'r un gyntaf erioed i Martha. Teimla siom a syndod, ond y siom ar wyneb ei mam a'i bygythiad tawel sy'n rhoi'r boen fwyaf iddi.

– Paid byth – byth – â siarad fel'na â fi 'to. Ti'n dyall?

Y cyfan a all Martha ei wneud drwy ei dagrau yw nodio'i phen.

– Reit, cer i olchi dy wyneb a dere i'r cwrdd.

Aiff Martha tuag at y tŷ yn ufudd gan adael ei mam fel clwtyn llestri.

– Esther fach . . .

O ble bynnag yr ymddangosodd Ifan, mae Esther yn falch o deimlo'i fraich amdani.

*

81

– 'O am nerth i dreulio 'nyddiau
Yng nghynteddau tŷ fy Nhad;
Byw yng nghanol y goleuni,
Twllwch obry dan fy nhra'd;'
Cwrdd nos yng Nghapel Gladstone Road a chant ac ugain o
leisiau'n 'i morio hi yn sŵn yr organ fawr. Mae'r Parchedig
William Jones fry yn ei bulpud, a'i braidd o'i flaen yn dyheu am
'Fyw heb fachlud haul un amser, Byw heb gwmwl, byw heb
boen'.

Ond mae rhywbeth dirgel ar droed. Mae ambell nòd a winc a
phwnad fach slei fan hyn a fan draw yn creu llwybr anweledig
rhwng y sêt fawr a'r drws. A beth yw'r rheswm y mae porthor y
mis yn sleifio allan i'r cyntedd?

*

Mae boch Martha'n dal i losgi, a'i chydwybod yn ei phigo. Mae
hi'n difaru'i henaid iddi fod mor gas wrth ei mam, un o'r
menywod mwyaf unplyg a dihunan a gerddodd y ddaear erioed.
Teimla'i chorff yn dynn yn ei hymyl; gwêl ei dwylo esgyrnog
yn glymau yn ei chôl. Gallai Martha estyn ei llaw tuag atyn nhw
a'u gwasgu. Ond mae rhywbeth – swildod neu styfnigrwydd? –
yn ei hatal, a'r cyfan a wna yw syllu ar wyneb Harri a gwrando
ar ei eiriau.

Harri, fry yn ei bulpud, yn darllen am y brycheuyn a'r trawst.
Dewis pwrpasol, dewis dewr, o gofio'u sesiwn yn yr ardd. Bu
mor gas wrtho yntau hefyd, y dyn addfwyn, gonest. Ie, gonest.
Fe siaradodd â hi o waelod ei galon. Mae Martha'n cofio'i union
eiriau. 'Ma' 'da fi feddwl mowr ohonot ti . . . Licen i dy weld di
'to . . .'

– 'A pham yr wyt yn edrych ar y brycheuyn sydd yn llygad
dy frawd, ac nad ydwyt yn ystyried y trawst sydd yn dy lygaid
dy hun?'

Wynebau prudd sy'n llenwi'r capel bach. Rhesi o wynebau
prudd – hen ddynion barfog, hen fenywod crychog a'r canol oed
ffug-barchus. Y bobol ifanc hefyd, ei chenhedlaeth hi – plant
Ffynnon Oer ac Oernant, Pantrod a Thynrhelyg. A hyd yn oed y
plant iau, y plant bach. Maen nhw i gyd yn syllu'n brudd, fel

petai bywyd ar fin dod i ben yn enw grym aruthrol Methodistiaeth Calfinaidd.

'O ragrithiwr, bwrw allan yn gyntaf y trawst o'th lygaid dy hun; ac yna y gweli yn eglur fwrw allan y brycheuyn o lygad dy frawd . . .'

Wrth gau cloriau'r Beibl mawr, mae Harri'n taflu golwg sydyn i gyfeiriad Martha, sy'n gostwng ei golygon yn syth. Felly dyw hi ddim yn sylwi bod Rhys yn syllu arni. Dyw hi ddim yn sylweddoli ei fod wedi bod yn syllu arni gydol y gwasanaeth.

*

Un pwyllog o ran greddf a natur yw Luther Lewis. Fe ddysgodd hefyd, o hir brofiad, nad oedd ganddo ddim i'w ennill wrth ruthro drwy fywyd â'i wynt yn ei ddwrn. I'r gwrthwyneb, roedd llawer iawn i'w golli. Nid ar hast dragwyddol y mae astudio'r natur ddynol. A sut mae gwerthfawrogi'r byd a'i bethau ag un llygad ar y cloc? Gwendid mawr y ddynoliaeth, heblaw am ei hysfa gwancus, gwallgof i ddifa a dileu, yw ei hysfa i fynd a mynd o hyd, i redeg rownd a rownd a raso'n wyllt, heb gyrraedd unman. Morgrug yn tindroi'n druenus yn sŵn y cloc yn tician. Ond pam dilorni morgrug? Creaduriaid a chanddynt bwrpas, cynllun, gweledigaeth – a llawer iawn o synnwyr.

I mewn ag e ling-di-long drwy'r clwydi, yn ôl ei arfer. Ond mae drysau mawr y capel wedi'u cau, a'r bwlyn trwm yn sownd. Felly dyna'r gêm. Dysgu gwers, dangos pwy yw'r bòs, atgoffa meidrolyn bach o'i seis, o'r angen i gydymffurfio, i ufuddhau i'r drefn. Cosbi. A daw ton o dristwch drosto. Tristwch clywed môr o ganu'r tu hwnt i'r drysau, gweld motor cars y cyfoethogion a darllen neges enbyd y geiriau sydd ar yr arwydd. 'Deuwch ataf i bawb a'r y sydd yn flinderog ac yn llwythog, ac mi a esmwythâf arnoch.'

Beth yw'r dewis sy ganddo? Curo ar y drws? Dringo at y ffenestri? Na. Does dim amdani ond mynd i eistedd yn dawel ar y grisiau cerrig, gwrando ar eiriau bendigedig Williams a'u sibrwd o dan ei wynt:

– 'Gyda Thi mi af drwy'r fyddin,
   Gyda Thi mi af drwy'r tân,
   'D ofnaf ymchwydd Iorddonen
   Ond i ti fynd yn y bla'n.'

Yn sydyn fe gwyd ar ei draed a dechrau bloeddio yn ei lais tenor cyfoethog nes bod fforddolion Gladstone Road yn aros i wrando arno.

– 'Ti yw f'amddiffyniad gadarn,
   Ti yw 'Mrenin, Ti yw 'Nhad,
   Ti dy hunan oll yn unig
   Yw fy iechydwriaeth rad.'

Ac yna tawelwch. Tawelwch llwyr a llethol, heblaw am sŵn traed pobol yn cerdded yn eu blaenau unwaith eto ar hyd Gladstone Road, wedi cael eu sbort.

*

Mae Ifan ar ei draed yn y sêt fawr.

– Fe fydd oedfa fore a hwyr y Sul nesa pan ddisgwylir y Parchedig Ebeneser Williams, Cei Newydd, i wasanaethu. Bydd Ysgol Sul am ddau . . . Nos yfory, taer erfynnir am eich presenoldeb yn y Seiat am saith o'r gloch . . .

Megis bwledi'n saethu ati, fe dry llygaid pawb at Sara, sy'n eistedd fel carcharor rhwng ei thad a'i mam. Mae hithau'n syllu'n ôl arnyn nhw, fesul un, ei llygaid duon yn eu herio. Ac yna, cyn i Ifan ddweud dim mwy, mae hi'n codi ac yn dechrau cerdded yn urddasol at y drws. Cyn iddi ei gyrraedd, mae Martha hefyd wedi codi o'i sedd ac yn ei dilyn â'r un urddas tawel.

Yng nghanol y tafodau'n sibrwd a'r llygaid yn gwibio mae'r Parchedig Harri James, yn ei bulpud, a Rhys Jones, yn sedd teulu Tynrhelyg, yn syllu ar ei gilydd.

Draw yng nghornel pella'r fynwent mae Martha a Sara ynghudd yn y gwair uchel, yn union fel y bydden nhw ar ôl Ysgol Sul slawer dydd. Maen nhw'n eistedd ar hen fedd y mae ei gofnod i ŵr a thri o blant wedi'i ddileu bron yn llwyr gan dywydd y blynyddoedd. Yng nghanol storom o ddagrau mae Sara'n agor ei chalon unwaith eto i'w ffrind.

– Ma' pawb yn y byd, ond fi, yn hapus.

– Paid â siarad dwli.

– Fues i erioed mor anhapus. Feddylies i erioed 'i bod hi'n bosib bod mor anhapus. Ma' fe fel salwch, yn 'y myta i. O fore tan nos, bob dydd ers wthnose . . .

Yn sydyn mae hi'n gafael yn llaw Martha ac yn ei gwasgu hi'n dynn.

– Beth ddaw ohona i, Martha?

Mae hi'n gosod llaw Martha ar ei bol.

– Beth ddaw o'r babi bach?

Yr eiliad honno y mae Martha'n penderfynu dweud y gwir wrth Sara.

*

Golygfa ryfedd sydd i'w gweld y tu allan i Gapel Gladstone Road. Dyn mewn clogyn a het ddu, ei bortmanto wrth ei draed, yn eistedd yn benisel ar y grisiau cerrig, a chlystyrau bach o bobol yn eu dillad parch yn taflu cilolwg arno bob hyn a hyn ac yn sibrwd ymhlith ei gilydd. Llais Jane fach Jenkins yw'r un mwyaf hyglyw.

– Shwt allech chi!

– Mi oedd isio dysgu gwers i'r gwalch.

– Cytuno i'r carn.

Mae Pritchard bob amser yn cytuno gyda Robert y dyddiau hyn. Nid felly Annie.

– Fe aethoch chi'n rhy bell. Tr'eni mowr . . .

– Tr'eni? Ma' fe'n warthus!

Am unwaith mae Daniel Jenkins yn cytuno â'i gyfnither.

– Clywch! Clywch!

Cyn i neb ddweud dim mwy mae Jane yn mynd draw at Luther.

– Mr Lewis, ma' beth 'nethon nhw'n ofnadw. Yn anfaddeuol.

Cwyd ei lygaid crocodeil at ei hwyneb ac ar ôl ennyd fach o oedi, gwena arni.

– Jane fach Jenkins . . .

Torrir ar eu dealltwriaeth dawel gan Robert sy'n dod i estyn ei law.

85

– Luther, dwi'n siarad ar ran pawb. Mae hi'n wirioneddol ddrwg gynnon ni am be ddigwyddodd. Rhyw gamddealltwriaeth bach. Mi o'n ni wedi penderfynu tynhau rhywfaint ar y drefn, ond ddaru rhywun fynd yn rhy bell. 'Dach chi'n dallt?

Mae Luther yn deall yn iawn. Nid yw'n gafael yn llaw Robert.

– Hei, Luther, dewch 'da ni i Marble Arch.

Dan sy'n rhoi'r gwahoddiad a Lizzie yn ei ategu.

– Ie, dewch. Ma' crowd fach yn mynd. Fydd gwell canu 'na na'r sŵn ofnadw o'dd fan hyn 'da'r saint!

– A 'sdim un drws 'na!

Cyn i Luther gael cyfle i ymateb daw William Jones ato a'i law wedi'i hestyn.

– Luther bach, dwi newydd glywed am y busnas yna gynna . . .

Y cyfan a wna Luther yw codi ar ei draed, gafael yn ei bortmanto a gwenu ar Jane a Dan.

– Wel? Odych chi'n dod 'te?

Mae rhyw ddwsin o bobol ifanc, Hannah yn eu plith, yn ymgasglu wrth y clwydi. Gwena Hannah'n eger ar ei thad cyn mynd gyda'r lleill i lawr y stryd. Mae eu lleisiau'n atseinio yng nghlustiau'r saint.

> – 'Bydd canu yn y nefoedd
> Pan ddelo'r saint ynghyd,
> Y rhai fu oddi cartre
> O dŷ eu Tad cyhyd.'

*

Noson braf o haf a'r unig sŵn sydd yn y fynwent yw su ambell wenynen, clic-clic-clic sboncyn y gwair a chanu hapus bronfraith ym mrigau'r ywen fawr. A sibrwd syfrdan Sara:

– Beth wedest ti? Jane yw 'i fam e?

– Ie. Beth wede'r 'saint'!

Tawelwch eto a Sara'n syllu ar fuwch goch gota'n dringo ar hyd ei braich. Draw wrth ddrws y capel mae 'na dyrfa fach yn sefyllian cyn cychwyn am adre. Mae hi'n anodd gweld pwy yw pwy o'r pellter yma, ond gall Martha ddychmygu'n hawdd beth a phwy yw testun y sgwrs. Ond mae Sara'n saff fan hyn am y tro. Beth ddigwydd iddi fory, yr wythnos nesaf, y misoedd a'r blynyddoedd nesaf? A beth fydd hanes ei phlentyn? Does gan Martha ddim syniad. Y cyfan a ŵyr yw bod yr holl fusnes yn troi arni a'i bod am wneud y cyfan yn ei gallu dros ei ffrind. Llais Sara sy'n dod â hi'n ôl i'r fynwent.

– Pam wedest ti wrtha i?

– Meddwl falle y bydde fe'n codi dy galon di. Y bydde fe'n help i ti sylweddoli nad ti yw'r unig un i wynebu shwt storom. Nad ti yw'r gynta – a nad ti fydd y ddwytha.

Mae Martha'n ymwybodol o ddau beth – bod y llygaid wrth ddrws y capel wedi'u troi atyn nhw a bod llygaid Sara'n syllu arni hi.

– Ti'n gwbod, Martha, dim codi 'nghalon i wyt ti wedi'i neud. Ti 'di neud i fi deimlo'n wa'th.

Am y tro cyntaf y diwrnod hwnnw, fe deimla Martha ias o oerfel. Ai oherwydd bod yr haul yn isel a'r goeden ywen yn taflu'i chysgod drostynt? Ond mae Sara'n siarad eto.

– Fe ·fuodd Jane mor lwcus. Pawb yn gefen iddi. Teulu Ffynnon Oer yn cau fel wal amdani. Gofalu nad oedd neb yn gwbod, bod neb yn godde gwarth. Mwy na dim – fe geith Ifan Bach bob whare teg. Ond fe fydd raid i fi a 'mhlentyn odde uffern!

Yn sydyn mae Sara ar ei thraed, yn gweu ei ffordd rhwng y cerrig beddi, ei siôl yn chwyrlïo y tu cefn iddi.

– Sara! Wy'n dod 'da ti!

– Na! Ma'n rhaid i fi fod ar 'y mhen 'yn hunan.

Ac mae hi wedi mynd, wedi diflannu drwy'r glwyd fach gefn. Mae Martha'n esgus nad yw'n clywed Esther yn gweiddi arni.

– Martha! Dere!

Ond rhaid ildio.

– Cerwch chi! Fe ddwa i ar 'ych hole chi.

– Pam?

Am 'mod i isie bod ar 'y mhen 'yn hunan, meddylia Martha. Ond nid dyna'r ateb a gaiff Esther.

– Moyn 'bach mwy o awyr iach.

– Wel paid â bod yn hir!

Byddai dim yn well gan Martha nag aros fan hyn yn y fynwent am oriau, nes iddi dywyllu, ar ôl iddi dywyllu, drwy'r nos, hyd yn oed. Dim ond hi ar ei phen ei hunan, neb arall ar ei chyfyl – heblaw am yr ysbrydion, wrth gwrs. Ond does dim ofn y rheiny arni. Fel y dywedodd mam-gu Tanfynwent wrthi pan oedd hi'n groten fach, pobol fyw ac iach sy'n peri arswyd, nid rhywun o dan gaead bedd.

Mae hi'n cau ei llygaid yn flinedig. Bu'n ddiwrnod hir o ddadlau ac amddiffyn ac o geisio dal ei thir yn erbyn pobol hŷn, mwy profiadol a galluog. Mae'n gas ganddi fugutan a chwmpo mas. A doedd yr oriau a dreuliodd gyda Sara ddim yn hawdd. Sara, druan . . .

Mae hi'n agor ei llygaid wrth glywed sŵn rhywun yn agosáu. Rhys, ei wyneb yn llawn gofid, sy'n dod i eistedd wrth ei hymyl.

– Beth wedodd hi wrthot ti, Martha?

– Yr un peth wedodd hi'r bore 'ma. Bod hi'n becso nes bod hi'n dost.

– A beth wedest ti wrthi *hi*?

Mae Martha'n syllu ar yr wyneb crwn sy'n diferu o chwys.

– Falle weda i wrthot ti ryw ddwyrnod.

– Gwed wrtha i nawr!

– Gad hi, reit?

Mae Martha'n pigo tri choesyn o wair brwynog ac yn dechrau eu plethu'n amyneddgar gelfydd. Yn sydyn mae Rhys yn gafael mewn brigyn crin ac yn ei daflu'n chwyrn i'r awyr. Ffrwydra'n chwilfriw mân wrth lanio ar y llwybr.

– Damo pawb!

Does dim yn cael ei ddweud am dair neu bedair munud. A Rhys yn chwilio'n ofer am eiriau addas – ac yn methu – mae Martha'n clymu'r blethen wair ac yn dechrau ar un arall.

– Sori, Martha . . .

– Iawn . . .

– A diolch i ti am dreial helpu Sara.

– Dim achos 'i bod hi'n whâr i ti wy'n moyn 'i helpu hi.

– Na, wy'n gwbod 'ny . . .

Tro Martha yw hi i ymddiheuro.

– 'Na fi 'to. Hen geg fowr.

– Gweud pethe'n blaen wyt ti. 'Na un o'r rhesyme pam wy'n dy lico di.

Mae'r plethu'n ffyrnigo, ond erbyn hyn does dim yn mynd i atal Rhys rhag dweud ei feddwl.

– Wy'n dwlu arnat ti, Martha. Ers blynydde – 'ddar o'n ni'n dou yn 'rysgol fach. Ti'n gwbod 'ny. Ond yn ddiweddar . . .

– Rhys . . .

– Na, gad i fi weud beth sy'n 'y nghorddi i. Yn ddiweddar, wyt ti ar 'y meddwl i drw'r amser. Ddydd a nos – pan fydda i'n dihuno yn y bore, pan fydda i ar ddihun y nos – 'na le wyt ti. Wy'n dy glywed di'n siarad, yn cofio'r pethe wyt ti'n 'u gweud. A wyt ti wastad yn gweud y pethe iawn. A fel gwedes i, wy'n dwlu arnat ti. Twt, man a man i fi 'i weud e – wy'n dy garu di, Martha.

Erbyn hyn mae'r ail blethen wedi'i gorffen a'r drydedd ar y gweill. Ond rhaid rhoi'r gorau iddi gan fod Rhys yn gafael yn ei llaw. Mae ar fin rhoi cusan ar ei boch pan neidia Martha ar ei thraed a dechrau brwsho'r gwair oddi ar ei dillad..

– Ma'n rhaid i fi fynd . . .

– Fe gerdda i 'da ti.

– Na, ma'n well 'da fi fynd 'yn hunan.

Cyn i Rhys allu dadlau dim mwy mae hi wedi diflannu drwy'r glwyd fach gefn. Yr unig beth a adawodd ar ei hôl oedd dwy blethen fach o wair. Mae Rhys yn gafael ynddyn nhw ac yn eu plethu'n un.

Machlud haul ar draeth y Gilfach. Mae cymylau pinc yn cronni ar y gorwel, a gwawr binc sydd i'r llwybr crynedig sy'n ymestyn tuag atynt ar draws y môr. Pinc yw'r creigiau a'r clogwyni, gydag ambell fflach o aur yn tasgu'n llachar bob hyn a hyn. Mae hyd yn oed y pyllau dŵr yn binc. A gallech dyngu mai pinc yw'r gwylanod sy'n cylchdroi, yn paratoi i glwydo am y nos.

Ruban pinc sydd yng ngwallt y ferch sy'n taflu cerrig i'r môr. Unwaith, ddwywaith, deirgwaith, llwydda i beri iddyn nhw neidio fel ewyn ysgafn dros wyneb y dŵr. Bowns, bowns, bowns – bedair gwaith, bum gwaith – cyn suddo draw ymhell. Mae hon yn dipyn o giamster arni.

*

89

Mae hi'n wyll ar strydoedd Llundain. Dim machlud pinc, dim ond cysgodion yn crynhoi. O dan gysgod sylweddol Marble Arch mae cant a mwy o bobol yn morio canu. Cant a mwy o leisiau ifanc yn bloeddio yn y pedwar llais, yn ddigyfeiliant, y geiriau ar eu cof, gan ddilyn arweiniad dyn bach mwstashog mewn siwt pinstreip sy'n sefyll ar bedestal. Yn eu plith y mae Jane, Lizzie a Daniel Jenkins, Hannah Jones a'r Parchedig Luther Lewis, B.A., B.D.

> – 'Ar fôr tymhestlog teithio'r wyf
> I wlad sy'n well i fyw,
> Gan wenu ar ei stormydd oll -
> Fy Nhad sydd wrth y llyw . . .'

Er bod Lizzie wrth ei bodd, mae hi'n teimlo'n euog ei bod â'i thraed yn rhydd a John yn gwarchod Gwen. Mae hi hefyd yn ofni y gall chwydu unrhyw eiliad, er na chafodd fawr i'w fwyta na'i yfed drwy'r dydd. Ond mae Jane yn cadw golwg arni ac yn gwmni da gan ei bod yn nabod pawb o'r criw.

Yng nghanol y dyrfa hwyliog, ei botel ffyddlon yw cwmni Luther erbyn hyn. Fe'i tynna'n gyson o'i boced, cymryd dracht fach sydyn a'i rhoi'n ôl mewn un symudiad llyfn. Mae golwg radlon ar ei wyneb wrth daflu'i ben yn ôl a chau ei lygaid a'i morio hi gyda chwmni hanner ei oed.

Golwg radlon sydd ar wyneb Daniel hefyd. Wel, nid rhadlon yn hollol ond direidus – drygionus, hyd yn oed. Hannah yw gwrthrych ei radlonrwydd – neu ddireidi neu ddrygioni. Beth yw'r cynlluniau sydd ganddo ar ei chyfer tybed? Ac ai arwydd o'i diniweidrwydd yw ei gwên?

Yn y cyfamser mae ei thad yn codi'i het i Miss Grace Morgan.

– Nos dawch, Miss Morgan.

– Nos da, Mr Jones, a diolch am gerdded gatre 'da fi.

– Croeso. Unrhyw amser . . .

Beth fydd yn digwydd nesaf? Yr un peth sydd ar feddwl y ddau. Sonia Grace rywbeth am gwpanaid o de. Gwrthoda William yn boleit gan ddyheu'n sychedig am rywbeth amgenach ganddi.

– Gwell peidio . . .

Amen.

– Rywbryd eto – ella.

Tybed?

Ar stryd gefn dywyll yn Soho mae Robert Roberts yn sefyll o dan lamp sy'n taflu cylch bach melyn ar y pafin. Mae drws gerllaw yn agor a saif Vera yno yn ei gŵn nos coch.

– *What kept you, Doctor?*

– *A very long sermon.*

*

– Martha! Ble yffach wyt ti wedi bod?

Morgan sy'n holi wrth iddo fe a Marged gau'r ffowls am y nos.

– Pam?

Mae Morgan ar fin ateb bod ei fam yn mynd yn benwan holics pan ddaw Esther ei hunan o'r tŷ. Mae'r efeilliaid yn gofalu toddi i'r cysgodion.

– Ble fuest ti mor hir, Martha?

– Yn y fynwent. Yn siarad â Rhys. Pam? Beth sy'n bod?

– Becso amdanat ti odw i! 'Na beth sy'n bod! Yn becso y galle'r un peth ddigwydd i ti – a i Marged, falle – â beth ddigwyddodd i Lizzie, i Jane a i Sara Tynrhelyg. Heb sôn am lot fach arall allen i 'u henwi.

– O, Mam . . .

– Dyw merched heddi ddim yn gwbod beth yw 'u cadw'u hunen yn lân ar gyfer 'u gwŷr! Beth sy'n bod arnoch chi?

– 'Sdim byd yn bod arna i!

– Am beth fuest ti a Rhys yn siarad mor hir?

– Am Sara.

– A beth oedd 'da honno i 'weud? Ar ôl i chi'ch dwy gered mas o'r cwrdd?

– Ma' ofon arni. Ofon bod heb neb yn gefen iddi.

– Ma' 'da hi 'i theulu.

– Ond dy'n nhw ddim yn gefen iddi! Dim fel o'n ni i gyd i Jane! Ma' hi'n sylweddoli mor lwcus fuodd Jane . . .

A dyna ni. Y gath o'r cwdyn. A sôn am gath, mae llygaid Esther yn disgleirio'n wyrdd, yn wyrdd ac yn gul fel llygaid cath sy'n gwylio'i sglyfaeth cyn ymosod arno. Yn sydyn mae hi'n gafael yn ysgwyddau Martha ac yn ei hysgwyd.

– Wyt ti wedi gweud wrthi, on'd wyt ti? Wyt ti wedi gweud popeth wrth y groten 'na! Beth gododd arnat ti? Pwy hawl oedd 'da ti i weud dim o'n busnes ni wrthi? Ifan! Ma' hon wedi clapian wrth groten Tynrhelyg! A ma' honno'n siŵr o weud wrth bawb!

Sŵn Ifan Bach yn llefen sy'n peri i Esther ildio, gollwng gafael o'i merch a mynd i eistedd ar y sêt lechen wrth y twlc a dechrau pletio'i ffedog. Gwêl Martha ei chyfle i ddianc i'r tŷ.

*

Does dim gwaith perswadio ar Hannah y tro hwn. Hi sydd wedi dilyn Dan o hirbell wrth iddo weu drwy'r dyrfa ac i mewn drwy'r clwydi mawr. Hi sydd wedi ei ddilyn am ddau can llath ar hyd y llwybr nes cyrraedd clwstwr o goed mân a llwyni. Hi sy nawr yn annog ac yn cymeradwyo pob gweithred a symudiad ganddo â'i hochneidio dwfn, a hynny yn sŵn pell emynau'r Hen Gorff. Mae hi'n sibrwd yn ei glust ei bod yn ei garu.

– Dwi'n dy garu . . . dwi'n dy garu . . .

Yr hen Hannah fach. Mae ganddi dipyn i'w ddysgu, a llawer iawn i'w golli yno, o dan y dail.

*

Mae Ifan Bach yn brwydro'n galed yn erbyn Huwcyn Cwsg. Does ganddo fawr o feddwl o ymgais Martha i ganu hwiangerddi iddo nac i'w siglo yn ei breichiau. Mae hithau'n dechrau blino ar gerdded 'nôl ac ymlaen mewn llofft fach gyfyng a babi bach gwenwynllyd ar ei hysgwydd. Mae hi'n pipo drwy'r ffenest bob hyn a hyn, gan geisio gwrando ar y sgwrs rhwng ei thad a Harri James, sydd newydd gyrraedd ar ei feic.

Yn sydyn fe glyw Esther yn galw arni ac yn rhoi gorchymyn i ddod i siarad â Mr James. Does dim dewis ond ufuddhau.

– Ma' hi gered 'ma, Ifan Bach. A wy'n credu bo' ti a fi – a Sara Jones Tynrhelyg – rwle yn 'i chanol hi!

Ar ôl y sioc o gael ei osod yn ddiseremoni yn ei grud a'i adael ar ei ben ei hunan mae Ifan Bach yn syllu'n dawel ar y craciau yn y nenfwd.

92

Mae hi gered yn y gegin – Esther yn pletio'i ffedog, Ifan yn sefyll yn nerfus y tu ôl iddi a Harri'n hofran ar ei draed gan nad oes neb wedi dweud wrtho am eistedd.

Daeth i Ffynnon Oer ar orchymyn Esther er mwyn 'hwpo 'bach o sens i glopa'r groten Martha 'co', sy nawr, yn ôl ei harfer, yn syllu arno â'i llygaid mawr. Gwna Esther ymgais drwsgl i roi cyfle i'r ddau fod ar eu pennau eu hunain.

– Dere, Ifan . . .

– I ble?

– I helpu Morgan i gau'r ffowls.

Eiliad o benbleth gan Ifan cyn iddo ddeall y neges.

– O, ie! Iawn.

– Ma' 'na hen gadno milain ymbytu'r lle, Mr James. Ma'r cymdogion wedi ca'l lot fowr o golledion – a ninne'n lwcus hyd yn hyn. Ond allwn ni byth â bod yn rhy ofalus.

Mae'n rhaid i Harri wenu wrth weld y ddau'n diflannu mor gyfleus drwy'r drws. Er bod yr actio'n drychinebus, mae'r cymhelliad yn gymeradwy. Maen nhw'n amlwg yn poeni am eu merch nwyfus. Hi'r ferch sy'n siarad gyntaf – o'r galon, fel arfer.

– Wel? Well i chi ddechre ar y seiet. 'Na pam y'ch chi 'ma. 'Na pam ofynnon nhw i chi ddod 'ma. I dreial 'y nhynnu i'n ôl ar y llwybyr cul.

– Ma'n nhw'n becso amdanat ti, Martha.

– A finne'n becso am Sara.

– A finne hefyd. Yn becso'n ened.

– Wel gnewch rwbeth 'te! Gwrthodwch 'i thorri hi mas!

– Alla i byth.

– Iawn. 'Sdim mwy i 'weud.

Mae hi'n troi ei chefn arno. Sylla arni am rai eiliadau – ar ei gwallt tywyll, ei gwar llyfn, ei chefn main yn y ffrog las.

– Martha.

– Ie?

– Ma' 'na fwy i 'weud. Licen i drafod rhwbeth arall 'da ti . . . Licen i drafod – ti a fi.

Mae hi'n troi'n ôl yn araf i'w wynebu, ei thalcen wedi'i grychu, ei llygaid yn llawn amheuaeth. Yr eiliad honno mae Harri'n dyheu am ei chofleidio a'i chusanu ond does ganddo mo'r hawl. Does ganddo mo'r dewrder. Bydd yn difaru'r diffyg dewrder hwnnw weddill ei fywyd byr. Y cyfan a wna nawr yw arllwys ei galon yn un llifeiriant diffuant.

– Martha, ma'r holl fusnes 'ma wedi 'ngneud i mor ddryslyd. Ma'r cwbwl yn troi yn 'y mhen i – beth sy'n mynd i ddigwydd nos fory, beth wedest ti'r prynhawn 'ma. Os wyt ti'n credu i ti weud gormod, wedes i ddim hanner digon. Fe ddylwn i fod wedi gweud taw ennill eneidie yw 'ngwaith i, dim torri pobol mas. 'Sdim calon na stumog 'da fi i'r holl fusnes diened. A 'na pam ma'n rhaid i fi styried 'y nyfodol, a falle gadel y Weinidogeth.

– Beth 'nelech chi?

Mae diffuantrwydd y cwestiwn yn ei gyffwrdd.

– Darlithio falle. Fe ges i sawl cynnig yn ystod y flwyddyn. Ne' ma' 'na ddewis arall.

Mae'n rhaid i Harri oedi cyn dweud dim mwy. Sylweddola mai hon yw un o funudau pwysicaf ei fywyd. Rhaid peidio â blawdo'i gyfle.

– Ma' galw mowr, fel wyt ti'n gwbod, am genhadon. Madagascar, Bryniau Kashia . . . A 'na pam licen i ofyn i ti . . .

– Na yw'r ateb.

– Alli di byth ag ateb heb glywed y cwestiwn.

– Ddwa i ddim 'da chi, Harri.

– 'Na'r tro cynta i ti 'weud 'yn enw i.

Yn sydyn mae Harri'n gafael yn ei llaw.

– Martha, fydden i'n dwlu dy ga'l di wrth 'yn ochor i, yn gymar ac yn gefen i fi. Fe nelen ni dîm da. Ma' cymint o egni a phenderfyniad 'da ti. Ond yn fwy na dim – wy'n dy garu di. Yn dy garu di'n angerddol.

Gŵyr Harri wrth edrych i lygaid oeraidd Martha ei fod wedi blawdo'i gyfle.

*

– *I love you, Robert.*

– *Mm . . .*

– *Do you love me?*

Mae Robert yn agor ei lygaid yn sydyn. Bu'n pendwmpian ar ôl eu caru egnïol, ond nawr mae gofyn bod yn wyliadwrus o

94

grafangau'r ddynas sy'n gorwedd wrth ei ochr. Does dim angen iddo ateb ei chwestiwn, diolch i Dduw, gan ei bod hi'n rhygnu 'mlaen yn llawen am ei gobeithion a'i chynlluniau.

– *When are we getting married?*

Damia'r ddynas! Mae hi'n bryd codi, gwisgo a diflannu.

– *Damn you, Robert! As soon as I mention marriage, you're up and gone!*

– *Don't start, Vera.*

– *That's what you say every time!*

– *Then why do you keep on and on about it?*

Fe sylweddola Robert bod gofyn troedio'n ofalus. Rhaid mynd drwy'r rigmarôl o ddal ei llaw, o fwytho'i gwallt, o gusanu'i boch – a phalu celwyddau.

– *What we have is good enough for me. For now . . . I need more time. Katie's only been dead for a few months. People would talk. And you know how busy I am these days, what with the practice and my business plans.*

– *Oh yes! I know! 'Cause you keep on bloody telling me! The cafe this, the cafe that!*

– *Isaac's hopeless so I have to do all the work. Please understand.*

– *All right! All bloody right! Everything's so much bloody more important than I am!*

Gŵyr Robert yn union beth i'w wneud. Ochneidio, smalio iddo gael ei frifo. Mae hithau'n toddi. Yn ôl y disgwyl.

– *Sorry, darlin'. It's just that I want to be your flamin' wife.*

– *All in good time.*

– *Promise?*

– *Promise.*

Trueni na wêl hi'r olwg filain ar ei wyneb.

Mae John yn sibrwd wrth Lizzie ei fod yn ei charu. Mae hi newydd gyrraedd adre o Marble Arch, wedi blino ac yn dal i deimlo'n dost ond yn falch ei bod wedi cael y cyfle i fwynhau'r gwmnïaeth. Roedd yn gyfle i ddod i nabod pobol o'r un oed – mamau ifanc, merched, fel hithau, newydd ddod i Lundain ac yn teimlo'n unig. Roedd hefyd yn agoriad llygad iddi. Gweld Dan a Hannah Jones yn diflannu i wyll Hyde Park a dychwelyd

95

ymhen hanner awr fel dwy gath wedi yfed hufen. Gweld Luther yn gorwedd ar y pafin, yn chwyrnu cysgu, a phawb yn ei anwybyddu. Deall mai dyna yw ei hanes bob nos, druan bach. Ac wrth gerdded adref gyda Jane, gweld y groten fach. Croten fach rhyw deirblwydd oed yn begera ar y stryd. Un fach garpiog, droednoeth, fawr hŷn na Gwen, ar ei phen ei hunan, yn estyn ei llaw at bawb a âi heibio. Roedd Lizzie wedi mynd i'w phoced ar unwaith, a Jane wedi dweud wrthi am bwyllo ac i edrych draw at ddrws siop gyfagos lle roedd dau fachgen – y brodyr hŷn – yn gwylio pob symudiad. Ond roedd Lizzie wedi rhoi dimai yn ei llaw.

Mynnodd John ei bod yn dod ato i'r gwely'n noeth, a nawr mae hi'n gorwedd wrth ei ochor, ei eiriau cariadus yn ei chlustiau ynghyd â synau noswaith dwym o haf yn Llundain – cŵn yn cyfarth ac yn udo, meddwyn ar y stryd islaw yn rhegi, trên yn carlamu yn y pellter. Mae hi'n ymwybodol o'i freichiau amdani, ei wefusau'n cusanu ei hysgwyddau, ei law yn crwydro o'i bronnau i lawr rhwng ei choesau. Ond mae hi'n gorwedd yn llonydd, ei breichiau a'i choesau'n syth fel styllod, yn syllu ar y lamp sy'n hongian o'r nenfwd. O'r diwedd mae John yn ochneidio ac yn troi ar ei gefn.

– John, 'sdim whant arna i heno, 'na i gyd.

– Na nithwr, na echnos, na dim un nosweth ers wthnose!

– Dyw hynny ddim yn wir.

– A fydd dim nos fory 'fyd!

– Bydd, wrth gwrs y bydd e. Wedi blino odw i . . .

– O't ti ddim wedi blino gormod i fynd i galifanto 'da Jane! A beth amdana i? Wy'n blino hefyd ti'n gwbod! Blino gwitho o fore tan nos! Ond 'sdim gobeth i fi ga'l hoe fach! O na! Dim hyd yn oed ar ddydd Sul achos wy'n goffod bod gyda 'mhlentyn tra bo' 'ngwraig i mas yn enjoio!

– Wy'n teimlo'n dost. Y babi 'ma . . .

– A fe fyddi di'n teimlo'n dost am fisho'dd! Nes bod y babi wedi'i eni! A wedyn fyddi di wedi blino gormod achos bo' dou blentyn 'da ni! Man a man i ti weud bo' ti wedi blino arna i a 'na ddiwedd arni!

– Dyw e ddim yn wir.

Ei dro fe yw hi i syllu ar y lamp.

– John, dyw e ddim yn wir.

Mae John yn troi ac yn gorwedd a'i gefn tuag ati.

*

Dieithryn hollol yw'r dyn sy'n pipo ar Martha rhwng y cerrig beddi. Bob tro y bydd hi'n codi'i llygaid o'i llyfr, gwena arni. Mae hi'n codi ac yn cerdded draw at ddrws y capel. Ond mae e'n ei dilyn a phan dry ei phen tuag ato gwena arni eto. Mae hi'n mynd i mewn i'r capel, yn cau'r drws ac yn troi'r allwedd. Mae hi'n saff. Aiff i eistedd i'r sêt fawr, a syllu ar y pulpud gwag. Yr hyn sy'n rhyfedd yw bod cynulleidfa yn y capel erbyn hyn. Llond capel o bobol yn syllu ar bulpud gwag. Ac yna mae rhywun yn cnocio ar y drws. Cnoc-cnoc-cnoc . . . Mae llygaid pawb yn troi tuag ati. Cnoc-cnoc-cnoc – yn gryfach y tro hwn. Ac yna llais yn gweiddi 'Martha!' Mae'r llais yn gyfarwydd. 'Martha, agor y drws!' Cnoc arall ac yn sydyn mae Martha ar ei heistedd yn y gwely.

– Martha!

Ymhen awr neu ddwy – ac am weddill ei bywyd – bydd Martha'n difaru'i henaid na lwyddodd i wneud pethau hollol syml lawer ynghynt. Dihuno, mynd at y ffenest, deall y neges, gwisgo, dihuno pawb arall. Ond ar hyn o bryd, gall dyngu bod y cyfan yn digwydd ar garlam. Hanner dwsin o ddynion ar y clos, rhai ar eu beics, y lampau'n goleuo gofid eu hwynebau. Cwestiynau Rhys yn tasgu o'r naill i'r llall a'r atebion yn brin. Do, fe'i gwelwyd heno yn y capel. Do, fe'i gwelwyd wedyn yn y fynwent gyda Martha. Ac yna fe ddiflannodd.

Mae hi'n hanner nos ac mae chwilio mawr am Sara Jones, Tynrhelyg. Y dynion, gyda'u cŵn a'u lampau yn gweiddi ei henw dros y caeau ac ar hyd y lonydd tywyll, y menywod yn cribinio'r tai mas a'r teisi gwair.

Does neb wedi meddwl chwilio amdani ar draeth Gilfach yr Halen.

Fe drodd y llwybr pinc yn llwybr arian. Does dim cymylau ar y gorwel nawr, dim ond rhes o sêr. Neu ai yn ei dychymyg y maen nhw? Rhes o sêr ar y gorwel, tonnau wrth ei thraed ac yn ei chlustiau. Sêr a thonnau a thawelwch. A lleuad lawn.

Lleuad lawn yn gwenu arni, a sêr yn wincio ar y gorwel. Mae 'na sêr uwchben y clogwyn hefyd, rhai agos, rhai clir, yn gwibio'n ôl a 'mlaen. Maen nhw'n galw arni, yn gweiddi ei henw. 'Sara! Ble wyt ti, Sara?' Ond dyw hi ddim yn eu hateb. Mae'n well ganddi'r sêr sydd ar y gorwel. Ei sêr hi. Mae hi am fynd atyn nhw. Mae hi am eu cyrraedd. Dy'n nhw ddim yn bell. Dim ond iddi gerdded yn ofalus ar hyd y llwybr arian, fe fydd yn eu cyrraedd chwap.

Noswyl Nadolig, 1921

Lle diddorol, fel arfer, yw marchnad Covent Garden. Heno mae'r lle'n rhyfeddol. Mae'n rhaid i chi ddychmygu'r gymysgedd egsotig o arogleuon sy'n deillio o'r llu stondinau. Blodau, ffrwythau, llysiau, pob math o ddeiliach a phlanhigion, jariau a photiau o bob lliw a llun yn llawn o hadau a pherlysiau cyffredin ac anghyffredin. Hyn i gyd, heb sôn am fwg o lampau olew a thanau agored, cnau wedi'u rhostio a dom ceffylau. Ond gallwch weld a chlywed y prysurdeb, y prynu a'r gwerthu, y gweiddi a'r bargeinio, y pacio a'r cario. Whilberi'n mynd a dod yn llawn celyn ac uchelwydd. Siopwyr blinderog yn llwythog ag anrhegion munud olaf, yn dechrau meddwl troi am adref, a stondinwyr yn dechrau cyfrif ei henillion am y dydd. Fe fydd hi fel y bedd yma fory.

Er gwaetha'r eirlaw, mae ysbryd y Nadolig yn heintus – dieithriaid, hyd yn oed, yn cyfarch ei gilydd yn gynnes ac yn dymuno cyfarchion y tymor i holl blant dynion. Ac mae'r carolwyr, y cerddorion crwydrol a'r cardotwyr ar ben eu digon.

Dyma fotor car du sy'n adnabyddus i ni wedi ei barcio reit yng nghanol y prysurdeb. Mae Robert Roberts yn prynu blodau – tri phosyn bach o Rosys y Nadolig. Tafla ddau ar sêt flaen y car cyn brasgamu â'r trydydd yn ei law at ddrws y '*CROESO CAFE*', a gwenu'n falch, yn ôl ei arfer, wrth weld yr arwydd mawr sy'n dynodi – '*A REAL WELSH WELCOME*'. Yna i mewn ag ef a chael pleser o weld y lle'n orlawn.

– *Sorry, mate. We're full up! Danny sang, as they say in Wales.*

– Daniel, tyd â'r *takings* i mi.

– Rhag ofon i ni redeg bant â nhw, ife?

– Tyd â nhw reit handi. A choffi sydyn. Dwi ar frys.

– Iawn, gan taw chi yw'r bòs.

– Fi a dy dad. Rhaid peidio anghofio'r hen Isaac.

Wrth i Dan osod pentwr o fagiau arian ar y cownter, mae

Robert yn moesymgrymu o flaen Martha, sydd wrthi'n clirio byrddau, ac yn rhoi'r posyn iddi.

– Nadolig Llawen, Martha.

– Diolch!

– Croeso – a chyn i ti ofyn, mae Marged Ann yn iawn. Wel – yn well nag oedd hi ddoe. Dwi'n meddwl ddaru hi wenu'r bore 'ma!

– Jiw! Jiw! Marged Ann yn gwenu! Ma' beth yw dwyrnod mowr!

Ar ôl diwrnod hir o waith, ar ôl wythnosau o boeni am ei chwaer fach, y peth diwetha y mae Martha am ei glywed yw 'hiwmor' Daniel.

– Daniel – ca' dy ben! Pam ddyle hi wenu? Do'dd hi ddim isie dod i Lunden!

Er mwyn ceisio lleddfu rywfaint ar dymer ei nith mae Robert yn tynnu ei sylw at hysbyseb ar dudalen flaen Y DDOLEN, a osodwyd mewn lle amlwg ar y cownter.

'CROESO CAFE – CROESO CYNNES, CYMREIG A CHYMRAEG YN LLUNDAIN – CROESO ODDI CARTREF – PROP: R.ROBERTS & I. JENKINS.'

– Wyt ti'n siŵr bod copi o hwnna wedi mynd i Ffynnon Oer?

– Do – sawl un. Ma' Mam yn credu'ch bod chi a Wncwl Isaac yn gredit i ni i gyd.

– Chwara teg i'r hen Esther. Piti garw nad ydi'r hen Annie'n cytuno efo hi, yntê Daniel?

– Mam yw Mam . . . Damo jawl!

Hannah sydd newydd gyrraedd, yn edrych, yn ôl ei harfer, yn llawer hŷn na'i dwy flynedd ar bymtheg. Gormod o golur, gormod o gyrls, ac mae gwynt ei phersawr i'w glywed ddecllath i ffwrdd. Gwena'n awgrymog ar Dan cyn mynd i eistedd wrth un o'r bordydd pellaf. Mae Robert wrth ei fodd yn gweld ei nai yn gwingo.

– Llefrith wedi suro, ia, Daniel?

– Wedi suro'n gaws, Wncwl Robert bach.

– Dwi'n deud a deud wrthat ti am 'u cadw nhw hyd braich. Ond ddysgi di byth.

Daw ateb Martha fel fflach.

– 'Sdim dysgu ar asyn! Ma' fe'n stwbwrn a ma' fe'n dwp!

– Chi'n gwbod beth, Wncwl Robert? Wy'n dwlu ar grotesi Ffynnon Oer.

– Wel mi gei di dy siâr ohonyn nhw heno. Mae Jane a Lizzie a Marged yn dŵad yma.

– Marged?

– Ia. Y genod wedi'i pherswadio hi. Dwi'n mynd allan, felly mae ganddi noson rydd. Fasa'n iawn iddi aros yma efo ti dros nos?

– Wrth gwrs.

– Da iawn. Mi neith fyd o les iddi gael cwmni. Felly, Daniel Jenkins bach – gwylia di dy hun. Pedair o genod Ffynnon Oer – ac un darn o gaws! Does dim rhyfedd bod Dan yn gwgu arno. Dyw'r peth ddim yn jôc.

Cyntedd moethus Robert Roberts yn Harley Street. Drwy frigau'r goeden Nadolig fawr a osodwyd wrth droed y staer fe welwn Marged Ann yn eistedd wrth ford y gegin, yn pilo tatws. Wrth ei hymyl mae basnaid parod o foron ac erfyn, un arall o sbrowts a llond sosban o fresych. Ar y cwpwrdd gerllaw mae twrci nobl wedi'i stwffo, treiffl a dau blwm pwdin. Does fawr o olau yn y gegin – ynyswyd Marged, megis actores ar lwyfan, gan belydryn o olau'r cyntedd sy'n treiddio drwy'r drws agored. A anghofiodd hi gynnau'r golau? Neu falle bod yn well ganddi weithio yn ei gwyll bach tawel ei hunan, heb ddim sŵn ond tipian y cloc, y gyllell yn crafu'r tatws a rhywbeth yn ffrwtian yng nghrombil y ffwrn.

Dim ond dwy garden Nadolig sydd ar y silff ben tân – addurnwyd y parlwr gan y gweddill. Gwelwn y negeseuon sydd ar y ddwy – 'Nadolig Llawen i ti Marged fach, yn dy gartre newydd yn Llunden. Mam, Dat ac Ifan Bach'. Gan Morgan y mae'r llall a dim ond ei lofnod copor-plêt sydd arni. Mae ôl bysedd Marged yn amlwg ar y ddwy.

Yn sydyn mae cloch y ffôn yn canu ac mae Marged yn rhewi, taten mewn un llaw, a'r gyllell yn y llall. Mae hi'n syllu draw i'r cyntedd, at y teclyn bach du ar y ford fahogani, yn cyfrif pob caniad main o'r gloch. Ac yna, tawelwch, ac ochenaid o ryddhad.

101

Mae hi'n codi, yn rhoi'r pilion mewn papur newydd yn y bin, hanner y tatws mewn basn gyda'r llysiau eraill ar gyfer fory, a hanner mewn sosban ar y ffwrn. Fe fydd hi'n bryd rhoi'r afu i fynd chwap, a'r winwns a'r bresych, cynhesu'r platiau, rhoi sychad i'r ford, gosod y lliain a'r cyllyll a'r ffyrc, sheino'r gwydrau – mae cymaint i'w wneud a bydd Wncwl Robert yma cyn iddi droi.

Mae sŵn ei allwedd yn y clo yn ei dychryn. Daw i mewn yn gwenu'n gynnes arni, a dau bosyn o Rosys Nadolig yn ei law. Mae un iddi hi.

– Nadolig Llawen, Marged fach.

Cyn iddi fedru diolch mae ei wên yn diflannu.

– Be 'di'r paratoi yma? Wyt ti'n cofio 'mod i'n mynd allan i swper? Ddeudis i'r bora 'ma.

Mae'r dagrau'n cronni. Rhaid iddo droedio'n ofalus. Rhaid newid y pwnc.

– Oes unrhyw neges? Rhywun wedi galw ar y teleffôn?

Mae hi'n ysgwyd ei phen ond ni all ei dwyllo.

– Marged, sawl gwaith ma'n rhaid i mi ddeud? Tyd efo mi . . .

Gafaela yn ei llaw yn ddigon addfwyn a'i harwain allan i'r cyntedd.

– Rŵan, mae'r teleffôn yn canu . . . Be wyt ti'n 'neud?

– 'I ateb e.

– Ie . . . Wel?

– *Doctor Robert Roberts' residence . . .*

– *May I . . .*

– *May I take a message?*

– Da iawn! Rŵan, y tro nesa . . .

Gŵyr Robert yn iawn na fydd hi'n ateb y ffôn y tro nesa, na'r tro wedyn.

– Reit, dwi'n mynd i newid. Dos ditha hefyd. Mi fydd y genod yn galw amdanat ti cyn hir. Braf yntê? Cael mynd allan ar y galifant.

Petai Marged yn ddigon dewr byddai wedi ateb mai mynd allan ar y galifant yw'r peth diwethaf yn y byd y dymuna ei wneud.

Mae Gwen yn edrych fel doli fach bert a minlliw ei mam ar ei gwefusau a dau sbotyn o'i *rouge* ar ei bochau. Eistedd ar y gwely'n clebran â Jemeima y mae hi, yn fyddar i gecran ei rhieni. Wel, John sy'n cecran, a Lizzie'n syllu arno'n bwdlyd. Petai hi'n hŷn falle y byddai Gwen yn dewis ochri gyda'r naill neu'r llall. Ond byddai'n ddewis anodd.

Mae John wedi blino'n garn, neu'n hytrach, fel y sylweddola ei hunan, bodola o ddydd i ddydd mewn cyflwr parhaus o flinder. Bu'r misoedd diwethaf yn lladdfa rhwng gwaith caled y Dairy a'r wâc laeth, ceisio sefydlu ei fusnes cario-nwyddau ei hunan, a cheisio ysgafnhau baich Lizzie wedi iddi golli'r babi. Er ei fod yn falch eu bod bellach yn byw mewn cysur cymharol yma yn Becket Road yn hytrach nag yn nhlodi a budreddi Warwick Street, mae'r rhent yn uchel ac ysfa Lizzie am wella'r lle ac am brynu mwy a mwy o gelfi yn dreth ar ei gyflog prin. Lizzie druan, â'i breuddwyd am fan gwyn y tu hwnt i ffiniau Ffynnon Oer yn dechrau pylu. Mae hi'n ymdrechu i'w sefydlu ei hunan fel gwniadreg, ond yn gorfod cyfyngu ei horiau gwaith i'r nos gan fod Gwen yn llond ei chroen o fwrlwm a drygioni.

Mae gan John gyfrinach. Bu'n llechu yn nyfnder ei isymwybod am wythnosau ond erbyn hyn mae'n rhaid iddo gyfaddef ei bodolaeth. Mae John yn falch i Lizzie golli'r babi. Ac fe'i ffieiddia'i hunan.

Mae Lizzie hefyd yn falch, neu o leiaf yn fwy parod i gyfaddef mai dyna, o dan yr amgylchiadau, oedd orau. A does ganddi ddim cywilydd cyfaddef hynny ar goedd. Daw cyfle eto, ymhen blwyddyn neu ddwy, pan fydd pethau'n well arnyn nhw, a phan fydd Gwen yn hŷn. Ond roedd yn brofiad erchyll. Ddychmygodd hi erioed y byddai colli babi pum mis yn peri cymaint o boen. Sylweddolodd hi ddim y byddai, er gwaetha'r 'rhyddhad', yn dioddef iselder am wythnosau. A nawr, dyma hi o'r diwedd yn dechrau teimlo'n well, yn fwy egnïol, yn fwy parod i ailgydio yn ei gwaith a'i bywyd cymdeithasol, yn cael ei chyhuddo o fod yn hunanol.

Y funud hon mae Lizzie wedi cael hen ddigon. Hen ddigon ar fyw ar y nesa peth i ddim ac ar fethu â fforddio pethau sylfaenol bywyd heb sôn am bethau sy'n gwneud bywyd yn haws ei fyw. Mae hi wedi cael hen ddigon o gael ei charcharu ddydd a nos gan Gwen, gan waith caled, gan ddiffyg arian – a nawr gan John. Ond, wrth edrych arno'n eistedd wrth y ford, ei ben yn ei ddwylo, ei ysgwyddau llydan wedi'u crymu, caiff ysfa i fynd ato a'i gofleidio. Ond mae hi'n rhy styfnig. Ydy, mae e'n lwmpyn o gydwybod solet, yn weithiwr da, yn ŵr a thad cariadus. Oes mae ganddi bopeth – dyn sy'n ei charu, plentyn iach, modd i fyw. Ond mae bywyd ar hyn o bryd yn undonog ac yn ddiflas iawn.

Unwaith eto, fel bob tro y bydd hi'n trafod y pethau hyn yn ei phen, teimla Lizzie'n euog. Mae meiddio cyfaddef ei hanniddigrwydd mawr iddi hi ei hunan yn peri euogrwydd iddi, heb sôn am drafod â neb arall. Ond ni all drafod â neb – ar wahân i Jane. Ac mae trafod â honno'n ei gwneud yn fwy anniddig fyth gan ei bod, unwaith eto, wedi llwyddo i lanio ar ei thraed, y tro hwn fel *companion and lady's maid* i'r Fonesig Bronwen Orme Wilkinson yn ei phlasty mawr a moethus yn Bayswater.

Y prif reswm am y bugutan heno, a'r rheswm dros y colur ar wyneb Gwen, yw bod Lizzie wedi bod wrthi'n hir yn ymbincio a gwisgo'n smart ar gyfer noson ar y teils – coffi a chwmnïaeth yn y 'Croeso Cafe' – gyda'i chwiorydd-yng-nghyfraith. Roedd Gwen yn ddiddig dim ond iddi gael twtsh neu ddau o golur ar ei hwyneb nawr ac yn y man. Ond fe roddodd John y ceubosh ar y cyfan wrth gyhuddo Lizzie o fod mor hunanol â disgwyl iddo weithio a gwarchod Gwen yr un pryd. Y gwir yw bod Lizzie wedi dewis anghofio ei fod yn mynd â llaeth i'w gwsmeriaid heno er mwyn treulio bore dydd Nadolig gyda'i deulu. Felly, mewn ystum theatrig y byddai Garbo'n falch ohoni, bant â'r got orau, bant â'r het a'r menig, ac mae Lizzie wedi pwdu.

Un camgymeriad a wna John yn ei flinder a'i rwystredigaeth yw taflu cyhuddiadau ati – o wario gormod o arian, ac o geisio dianc rhag problemau yn hytrach na'u hwynebu. Ei gamgymeriad arall – ei gamgymeriad mawr – yw cynnig eu bod yn cael rhywun i warchod Gwen ar nos Galan er mwyn mynd gyda'i gilydd i'r *Home from Home* yn y capel. Doedd e ddim wedi deall mai dadl gyhoeddus fydd yno'r noson honno ac mai'r pwnc fydd 'Y cartre yw priod le pob menyw'. Mae Lizzie newydd ddatgan mai hi yw'r arbenigwraig ar y pwnc pan gyrhaedda Jane yn fwrlwm i gyd. Gwen yw'r unig un sy'n ei chyfarch.

– Licech chi i fi fynd mas a dod miwn 'to?

Does neb yn ateb, felly mae hi'n troi ei sylw at Gwen.
– Ody Santa Clôs yn dod â rhwbeth neis i ti heno?
Daw ateb Lizzie fel bollt.
– Allith Santa Clôs ddim ffwrdo dim!

Tawelwch tyn arall, a Jane yn ceisio'i dorri am y trydydd tro wrth dynnu sylw at gelficyn newydd – *chiffonier* o bren almon, bargain ail-law o farchnad Petticoat Lane.
– Jawch, ma'r lle 'ma'n gwella bob tro ddwa i 'ma!

Oherwydd ei natur addfwyn arferol mae ffyrnigrwydd ateb John yn ei syfdranu hi a Lizzie, ac yn peri i Gwen gydio yn Jemima a dechrau sugno'i bawd.
– Pryd fuest ti 'ma ddiwetha, Jane? Dim ers wthnose! Ond 'na fe, ma' cwmni gwell na ni 'da ti'r dyddie hyn! A gan bo' fi wedi dechre – pam nag wyt ti'n mynd gatre dros y Nadolig? Ma' Mam a Dat mor siomedig, a neb 'da nhw'n gwmni ond Morgan. Nadolig cynta Ifan Bach – a ble wyt ti? Yn cwmnïa gyda chrachach Bayswater! On'd wyt ti'n lwcus! Ma' Bayswater yn fwy o sbort na Brynarfor, a Orme House yn fwy posh na Ffynnon Oer!

Mae John wedi difaru'n barod. Ond yn rhy hwyr. Prin y gallwn ni glywed Jane, mae ei llais mor dawel. Ond mae ei hwyneb gwelw a'i dwylo crynedig yn dweud y cyfan.
– 'Sdim syniad 'da ti, o's e, John? Mor anodd yw hi i fi ar Nadolig cynta Ifan Bach. Gymint o arteth yw meddwl amdano fe heno. Wedest ti bo' fi'n lwcus, yn hala'r Nadolig 'da'r crachach. Ti sy'n lwcus, yn 'i hala fe 'da dy blentyn . . .

Mae'r dagrau'n ei llethu am rai eiliadau. Ond mae ganddi fwy i'w ddweud.
– Ond wy inne'n lwcus 'fyd. Fe slafes i ddigon am y nesa peth i ddim i Wncwl Isaac. Wedyn paid â dannod Lady Orme i fi. Ma' hi'n garedig iawn.

Llaw ym mhoced ei chot a thynnu papur punt ohono.
– *'A little Christmas box for you, Jane, to share with your sisters.'* Wedyn fydd dim isie i Lizzie hala cinog, heno. Ti'n dod, Lizzie?

Y cwestiwn mawr. Pawb, gan gynnwys Gwen, yn edrych o'r naill i'r llall, gan ddisgwyl ateb Lizzie. Yn sydyn mae hi'n codi ac yn gwisgo'i dillad, yn rhoi cusan i Gwen ac yn sibrwd wrthi:

– Nos da, cariad. Bydd di'n groten dda i Dat. Wela i di fory.

Un edrychiad byr ar John ac mae hi wedi mynd. Mae Jane yn hofran wrth y drws ac yn sibrwd.

– John . . .

– Beth?

– Dim.

Ac mae hithau wedi mynd.

Mae Ifan Bach yn taro'i ratl yn erbyn braich ei gadair uchel yn ddiamynedd. Mae hi'n amlwg nad yw Morgan yn llwytho'i geg yn ddigon sydyn.

– Gan bwyll nawr, grwt! Ti'n llyncu'n glouach nag oen swci!

Mae Esther, â'i llaw hyd at ei garddwrn ym mherfedd gŵydd, yn gwenu ar Ifan, sydd newydd eistedd yn ei gadair ac wrthi'n cynnau ei bib. Mae'r crwt bach yn fòs ar Morgan, ond mae'r ddau'n dwlu ar ei gilydd. Y gwir yw ei fod yn fòs ar bawb a bod pawb yn dwlu arno. Ond Morgan yw ei arwr. Does dim rhyfedd – fe sy'n gwneud y pethau neis i gyd fel mynd ag e am dro i weld yr anifeiliaid, chwarae cychod yn y twba sinc o flaen y tân a rhoi bisgedi iddo ar y slei. A nawr, mewn gwerthfawrogiad o'i ymdrech i gyflymu taith y llwy yn ôl ac ymlaen rhwng y plât a'i geg fe benderfyna Ifan Bach daro Morgan ar ei ben â'i ratl, a'i daro eto wrth weld a chlywed pawb yn chwerthin. Mae Morgan yn chwerthin nes ei fod yn fyr ei wynt – a dyw'r mwg taro sy'n chwyrlïo i lawr y simdde, heb sôn am y mwg o bibell Ifan, ddim yn help. Mae'r chwerthin yn troi'n beswch, y peswch yn gyfogi. Mae Morgan yn rhuthro mas gan adael Ifan Bach yn edrych yn syn ar Esther sy'n edrych yn ofidus ar Ifan.

*

Gallai John dyngu bod y stryd fel petai hi'n llawer hirach nag arfer a'r cart yn llawer trymach. Ac mae ei gwsmeriaid yn mynnu tynnu sgwrs am bynciau tyngedfennol fel y tywydd a'u trefniadau ar gyfer fory a drennydd. Does dim modd iddo frasgamu mor gyflym ag y dymuna gan fod Gwen yn llusgo deirllath y tu ôl iddo gan frygowthan bymtheg y dwsin â Jemeima. Achwyn y mae hi wrth y ddol ei bod hi'n oer ac wedi

106

blino, a bod Dat yn mynd yn rhy glou a bod ei thraed yn dost. Rhwng yr oerfel a'r colur sy'n dal ar ei hwyneb, mae ei gwefusau a'i bochau'n danbaid.

Yn sydyn mae hi'n mynd ar streic, yn eistedd ar y pafin, Jemeima o dan ei chesail, ac yn gwylio John yn pellhau oddi wrthi. Mae yntau'n cyrraedd pen draw'r stryd cyn sylweddoli nad yw hi'n ei ddilyn. Yn ei dymer fe frasgama ati, gafael yn ei llaw a'i llusgo'r holl ffordd yn ôl at y cart. Erbyn hyn mae hi'n llefen ond does dim amser i'w chysuro nac i egluro mai dim ond un stryd sy'n weddill cyn iddyn nhw fynd adre i hongian hosan wrth y silff ben tân. Caiff siars i gydio yn llaw ei thad ac i beidio ag achwyn.

– Lwc owt, bois bach, ma' hi'n ddansherus 'ma nawr! Ma' merched Ffynnon Oer wedi cyrra'dd!

Ac mae Martha'n falch o'u gweld, yn enwedig Marged Ann, na fentrodd fawr ddim o dŷ ei hewyrth ers dod i Lundain. Dyw Martha'n gwybod dim am y ffwdan gafodd Jane a Lizzie i'w pherswadio i ddod mas, a Jane yn gorfod gwisgo'i chot a'i het amdani a'i bygwth hi, fwy neu lai.

– Reit, meiledi, dim mwy o'r dwli 'ma! Os wyt ti'n credu 'mod i'n mynd i adel i'n whâr fach i fod ar 'i phen 'i hunan heno, o bob nosweth, alli di feddwl 'to!

A dyw hi'n gwybod dim am y ffrae rhwng John a Jane a Lizzie, er ei bod yn ddigon ciwt i sylwi bod golwg go ddiflas ar y ddwy. Mae Dan, nad oes ganddo'r defnyn lleiaf o sensitifrwydd greddfol Martha, yn tynnu'n ddidrugaredd arnyn nhw.

– A beth licech chi, fy nghyfnitherod annwyl? Te ne' goffi? Ne'n lemonêd sbesial ni? Ne' la'th? Hwnnw fydde ore i chi ferched ffarm!

Mae'r merched yn ei anwybyddu ac yn mynd i eistedd gyda'i gilydd wrth y ffenest, ar y ford nesaf at Hannah, sydd ar ei hail gwpanaid o goffi ac yn dal i ddisgwyl i Daniel ddod i siarad â hi. Erbyn hyn mae ei hamynedd yn dechrau pallu.

Un sy'n llawn amynedd yw'r dyn sy'n eistedd wrth y cownter. Bu'n eistedd yno ers dros awr, yn llygadu Martha. Dim byd amlwg, dim ond syllu arni'n paratoi'r diodydd, yn eu cario at y byrddau, yn sgwrsio â'r cwsmeriaid. A nawr, a hithau'n eistedd gyda'r merched eraill, gall weld ei hwyneb yn glir, a'i gwên.

'*Last lap*' yw hi o'r diwedd. Un stryd ar ôl ac yna troi am adref. Unwaith eto mae Gwen yn syllu ar y llaeth yn llifo o jẁg i jẁg ac yn hanner gwrando ar y sgwrs rhwng ei thad a'r cwsmer. Unwaith eto, nid yw'n gallu deall beth sy'n cael ei ddweud. Ond fe ddealla'r geiriau '*Christmas Box*' a'r wên gynnes ar wyneb yr hen wraig sy'n gwasgu ceiniog i'w llaw.

– Gwed 'Diolch yn fowr' wrth Mrs Chivers.

Mae Gwen yn ufuddhau ac yna'n astudio'r geiniog tra bod ei thad a'r hen wraig yn dal i siarad. Egluro'r ffaith nad yw Gwen yn gallu siarad Saesneg a wna John, ac nad yw ei Saesneg yntau fawr o gop. Ei hateb hi yw bod pawb yn deall ei gilydd yn Llundain.

Ymlaen â John a Gwen law yn llaw at ben draw'r stryd, a John yn addo ei chodi ar ei ysgwyddau cyn gynted ag y byddan nhw wedi cyrraedd y gornel nesaf. Tri chwsmer sydd ar ôl.

Mae Martha wedi sylwi ar y dyn. Maen nhw wedi gwenu ar ei gilydd, y wên gynnil honno rhwng dau sy'n deall y gall fod rhywbeth ar y gweill. Ond chawson nhw ddim cyfle i siarad. Chafodd hithau fawr o gyfle i siarad â'r merched, dim ond sgwrs sydyn cyn gorfod codi eto at y cownter. Ond fe gafodd siom o'i weld yn mynd atyn nhw, a gofyn caniatâd i eistedd gyda nhw. A dyna lle y mae ar hyn o bryd, yn sgwrsio gyda Lizzie. Gall Martha'i glywed yn ei gyflwyno'i hunan fel David Davies, o Donypandy.

– Dysgu yn Willesden Green. Dim jobs i ga'l gatre. 'Sdim byd i ga'l gatre, dim ond lot fowr o bobol mas o waith. A beth yw'ch enw chi?

Daw ateb Martha fel bollt.

– Lizzie, gwraig 'y mrawd yw hi. Ma' merch fach 'da nhw. Lizzie, shwt ma' Gwen? John sy 'da hi heno ontefe? Da iawn fe.

A chyda gwên y byddai'r Mona Lisa'n falch ohoni mae hi'n troi at David Davies.

– On'd yw'r gwragedd priod 'ma'n lwcus o'u gwŷr?

Bydd John yn ei feio'i hunan weddill ei fywyd. Ond ni fydd byth yn gwybod i sicrwydd beth yn union ddigwyddodd. Ai eistedd ar ymyl y pafin yr oedd hi? Neu a gamodd hi i'r ffordd – i moyn y ddoli neu am fod y geiniog wedi rowlio i'r gwter? Y cyfan a welodd gyrrwr y *carriage* oedd bwndel bach coch yn rowlio o dan yr olwynion.

Yn y cyfamser, mae hi gered yn y caffi. Ymarfer ar gyfer y ddadl yn yr *Home from Home* nos Galan y maen nhw, ac Emlyn Thomas wrthi'n darllen ei araith ysbrydoledig i gymeradwyaeth y gynulleidfa.

– Mewn dou le yn unig y dyle menyw fod, bois bach! Yn y gegin a dan y fawd!

– Beth am yn y gwely!

– Ne' dan y gwely!

– Jawch ie – ar y llawr!

– 'Sdim ots 'da fi le fydd hi!

Yn sydyn mae David Davies ar ei draed ac mae pawb yn tawelu.

– Chi'n cretu taw testun sbort yw hyn? Menywod y'ch chi'n 'u trafod, chi'n gwpod, menywod sy'n ca'l 'u hecsploeto, fel pob gwithwr! Ma' isie newid y drefen sy'n 'u cadw nhw lawr!

Eiliadau o dawelwch – ac yna llais yn gweiddi.

– Yn bersonol, lawr wy'n 'u lico nhw!

Bonllef o gymeradwyaeth a'r dynion yn siantio 'Workers up, women down' a'r menywod yn siantio 'Down with men' a Dan yn gweiddi:

– Hei bois, os nag yw menyw'n gwbod 'i lle, fe ddyle hi ga'l cic yn 'i thin!

Ac yna mae Martha'n camu i ganol y bedlam ac unwaith eto mae pawb yn tawelu.

– O'n i'n credu taw dadl gall o'dd hon i fod. Ond 'na fe, 'sdim disgw'l ca'l safon na sens 'da bois bach fel chi. Bois bach twp sy'n credu 'u bod nhw mor glefer.

Mae hi'n anwybyddu ambell ymgais i dorri ar ei thraws.

– Y'ch chi mor dwp, dy'ch chi ddim yn sylweddoli bo'r cwbwl yn newid rownd i chi. Ma' menwod, whap iawn, yn mynd i roi sioc i chi ar 'ych tine!

Yn sydyn, mae'r chwibanu a'r heclo'n peidio.

– Beth sy'n bod? Pam nag odw i'n ca'l gweud y gair 'na? Ma' 'nghefnder i newydd 'i weud e! Ond un rheol i'r dynion, un arall i'r menwod yw hi, ontefe? Wel, bois bach, ma'n ddrwg 'da fi'ch siomi chi, ond watsh owt fydd hi! Y'n ni'n ca'l gwell addysg, gwell cyfle. Y'n ni hyd yn oed yn ca'l foto o'r diwedd . . .

– Piti help!

– Ie! Piti help dynion bach tebyg i ti fydd yn ca'l 'u sgubo mas o'r ffordd!

– Ti wedi neud dy bwynt, Martha.

– O nagw, Daniel. Wy'n moyn gweud un peth arall. Dim siarad dros 'yn hunan odw i ond dros Mam, a dy fam dithe, a mame pawb sy 'ma. Menwod sy'n rhoi a rhoi heb ofyn dim 'nôl – ond 'bach o barch.

Mae'r tawelwch erbyn hyn yn llethol. David Davies sy'n dechrau clapo, wedyn Lizzie, wedyn Jane a Marged. Cyn pen hanner munud mae'r lle'n ferw o gymeradwyaeth.

– Ti ddyle fod yn siarad nos Galan, Martha.

– Lizzie fach, *dynion* sy fod neud y siarad!

– Wel y cwbwl weda i yw y bydd 'y nghnither fach i'n un o'r Suffragettes whap iawn! Yn towlu'i hunan o dan geffyle'r Grand National a phethe!

Mae tinc o edmygedd yn sylw crafog Dan. Mae Martha a David Davies yn dal llygaid ei gilydd.

Y distawrwydd sy'n ormod i John. A'r llonyddwch. Does dim sôn am neb ond un nyrs fach ifanc sy'n golchi *bedpans* mewn stafell ar ben draw'r coridor. Ble mae pawb? Yr holl nyrsys a'r doctoriaid oedd yma gynnau? Hanner dwsin a mwy yn hebrwng Gwen ar *stretcher* ar hyd y coridorau, yn gweiddi cyfarwyddiadau a gorchmynion cyn diflannu'r tu ôl i ddrws ac arno'r arwydd '*Private. Medical Staff Only*' mewn llythrennau coch. Ac yna dim.

Do, fe ddaeth doctor bach blinedig ato i ddweud eu bod yn gwneud eu gorau ac i holi'r holl fanylion. A nyrs wedyn, â chwpanaid o de cryf yn llawn siwgwr. Ac yna'r plisman, yn hofran fel rhyw gysgod tywyll. Dim ond gwneud ei waith – hen waith diflas ar noswyl Nadolig. Byddai'n well ganddo fod gartre gyda'i wraig a'i blant nag yma yn Ysbyty Guys, yn holi perfedd tad trallodus. Hwnnw, y plismon addfwyn a wasgodd ei law a dweud y byddai'n dod o hyd i Lizzie gynted ag y gallai, a barodd i'r dagrau lifo.

Lizzie. Ble mae hi? Yn y caffi o hyd? Neu ar ei ffordd adre? Beth os bydd hi'n cyrraedd a gweld y lle'n wag? Beth petai hi'n clywed am y ddamwain a hithau ar ei phen ei hunan? Mae'r nyrs fach ifanc yn gwenu arno wrth fynd heibio â throli'n llawn o *bedpans* glân. Dyw hi fawr hŷn na Marged Ann.

Deg o'r gloch, ac mae Dan a Martha'n awyddus i ffarwelio â'u cwsmeriaid – Dan, er mwyn dianc rhag crafangau Hannah i freichiau Maureen â'r llygaid gwyrdd sy'n disgwyl amdano mewn tafarn yn Edgeware Road, a Martha, am ei bod wedi blino. Na, mae ganddi reswm arall, ac mae hwnnw'n dal i sefyllian wrth y cownter, yn gwylio'i phob symudiad.

O'r diwedd gwelwyd cefnau'r rhai olaf yn mynd drwy'r drws. Fe hwyliodd Hannah drwyddo gan fflachio'i llygaid duon yn fygythiol ar Dan. Bu dwyawr o gael ei hanwybyddu'n ormod iddi. Ond fe benderfynodd – na, fe wnaeth adduned – y bydd yn dial arno, ac y bydd hwnnw'n ddial melys iawn. Erbyn hyn, heblaw am David, dim ond Lizzie, Jane a Marged sydd ar ôl. A Luther. Luther druan, sy'n chwyrnu cysgu, ei ben ar un o'r bordydd, ei botel wag ar lawr. Roedd yn feddw pan gyrhaeddodd, yn llafarganu *Mab y Bwthyn* ar ei gof, ac yn achwyn bod y caffi'n 'hen dwll o le didoreth sy'n gwerthu te fel pisho cath'. Ac fe sgubodd y llawr â David Davies.

– Bolshi bach wyt ti, ontefe? Ti sy'n pregethu dy ddwli ar Speaker's Corner.

– Dwli? Treial ca'l tegwch i bobol? Treial neud pawb yn gyfartal?

– Paid â dechre pregethu wrtha i, grwt! Weles i fwy o'r hen fyd caled 'ma na weli di byth!

Fe flinodd Jane ar y gwmnïaeth ers amser, ac mae hi'n gwneud ei gorau i berswadio Lizzie i ddod gyda hi i barti yn nhŷ Lady Orme. Mewn gwirionedd, byddai Lizzie wrth ei bodd. Parti yn un o dai crandia Llundain! Cael cwrdd â phobol llawer mwy diddorol na'r rhai oedd yma yn y caffi. Mae Jane yn bendant y bydd Lady Orme yn talu am dacsi adref iddi – felly beth yw'r anhawster?

111

– Beth wede John?
– O's ots?
Ei hateb mewn un gair yw – nagoes.

Y gwin sydd wedi mynd i'w phen. Dyna pam y mae hi'n
gwenu'n barhaus ar Robert wrth fwytho'i phosyn o Rosys y
Nadolig. Ond cofiwch ei bod hi hefyd yn ei garu, ei fod newydd
roi clustdlysau aur yn anrheg iddi a'i fod nawr yn talu am bryd o
fwyd ardderchog, dwy botel o *Chablis* a sawl gwydraid o
Cognac. Cyfuniad o'r cyfan hyn sy'n gwneud iddi ymestyn
amdano'n sydyn a'i gusanu, yno wrth y ford, o flaen pawb.

Vera druan. Petai hi ddim ond yn sylweddoli mai'r gusan
gyhoeddus honno sy'n gwneud i Robert benderfynu dod â'u
perthynas ryfedd i ben. Ond yn ei hanwybodaeth, fe wna
bethau'n waeth drwy gynnig eu bod yn mynd am dro ar hyd yr
Embankment.

– *Or of course we could go back to your place, seein' as I've
never been there.*

– *No – my niece will be there.*

– *Why the hell didn't you send her away for the night?*

– *I'm tired, Vera. I'll take you home.*

– *Home is the last place I want to go!*

Ond does ganddi fawr o ddewis, a Robert yn ei thywys tuag
at y drws gan osgoi, o drwch blewyn, cyfarfod â chyfaill iddo a'i
wraig sydd newydd gyrraedd. Mas ar y stryd fe gaiff syniad sut i
gael ei gwared.

– *I've just remembered, I have to call by the cafe to collect
the takings.*

– *Because you don't trust darlin' Daniel?*

– *Exactly.*

– *I'm coming with you.*

– *No. You can't.*

– *In case they see me?*

Mae Robert yn brasgamu ar hyd y pafin, a Vera ar ei ôl.

– *Why don't you bloody answer me? And why are you still
hiding me away? Robert, are you ashamed of me, or something?*

Vera, druan . . .

– Luther! Dihunwch!

Mae'r llygaid crocodeil o dan y mop o wallt yn pipo ar Dan. Mae Luther yn codi'i ben o'r ford ac yn torri gwynt yn swnllyd.

– 'Roedd mynd ar y jazz band a mynd ar y ddawns . . .'

– Dewch, Luther bach. Chi sy'n mynd – gatre.

Wrth y drws mae Martha'n ffarwelio â David Davies.

– Martha, pryd fyddwch chi 'ma nesa?

– Drennydd.

– Wela i chi drennydd?

– Iawn.

Mae Marged yn sylwi arnyn nhw'n gwenu ar ei gilydd ac yn meddwl tybed a gaiff hi, ryw ddiwrnod, gariad bach? Rhywun fydd yn gwenu arni fel'na. Rhywun fydd yn edrych ar ei hôl hi. Rhywun fydd yn ei charu. Ac yna mae David wedi mynd, a Dan yn gwenu'n wybodus ar Martha, sy'n gwgu arno.

– Beth yw'r wên 'na, Dan?

– Dim! Dere i roi help llaw i ga'l y Parchedig ar 'i dra'd.

Mae gan Martha addfwynach ffordd na Dan. Mae hi'n rhoi bisgedi a darn o gacen i Luther.

– Rhwbeth i'ch cadw chi tan fory . . .

– Diolch i ti 'merch i. Ond beth am drennydd? Beth am dradwy? 'Na fe, 'digon i'r diwrnod ei ddrwg 'i hunan . . .'

A mas â fe, ei lais yn taranu ar hyd y stryd.

– 'Roedd mynd ar y jazz band a mynd ar y ddawns . . .'

Dyw e ddim yn sylwi ar blisman yn mynd heibio iddo, a dyw'r plisman ddim yn sylwi fawr arno yntau. Mae ganddo waith i'w wneud yn y 'Croeso Cafe', gwaith diflas iawn . . .

Un ffenomen anhygoel mewn dinas fawr yw llwybrau'n croesi blith draphlith. Cyd-ddigwyddiad rhyfedd yw'r cyfarfod rhwng Jane a Lizzie a Robert a Vera, ond un cwbl ddilys.

Erbyn hyn mae Vera, ei phosyn yn ei llaw o hyd, yn gorfod rhedeg ar ôl Robert gan ei fod yn brasgamu mor gyflym o'i blaen. Hercian yn boenus a wna hi mewn gwirionedd, gan iddi droi ei phigwrn wrth lithro ar wlybaniaeth y pafin. Mae Robert yn clywed y merched yn chwerthin ac yna'n eu gweld yn nesáu fraich ym mraich, cyn iddyn nhw ei weld yntau. Y peth cyntaf a aiff drwy ei feddwl yw sut yn y byd y gall eu hosgoi. Ond yn rhy hwyr gan fod Jane yn ei gyfarch yn ddrygionus.

– Wncwl Robert! Shwt y'ch chi heno?

Eiliadau o ddistawrwydd a'r merched yn llygadu Vera a hithau'n gwgu arnyn nhw. Jane sy'n siarad eto, gan ofyn y cwestiwn amlwg.

– Wel? Beth am gyflwyno'ch ffrind i ni?

– *Who are they, Robert? What's she saying?*

– *My name is Jane. And this is Lizzie. And I've just asked Uncle Robert to introduce us.*

– *My name's Vera. Vera Thornton.*

– *Glad to meet you, Vera. But we mustn't keep you. You want to get home to Uncle Robert's house. Aren't you lucky that Marged won't be there tonight. She's my little sister, you know, and she's staying with my other sister.* Enjoiwch, Wncwl Robert! *Vera, that's 'enjoy yourselves' in Welsh.* Nadolig Llawen!

Ac i ffwrdd â hi, a Lizzie, ar ôl gwenu'n ymddiheurol, yn ei dilyn. Mae Vera'n mynd i sterics.

– *You bloody liar! You said that she'd be there! You lying bastard!*

Clatshen ar draws ei foch a dwy neu dair rheg arall cyn mynd i eistedd yn ddagreuol mewn tacsi a gwylio Robert yn talu'r gyrrwr. Un rheg arall.

– *Bastard!*

Wrth i'r tacsi ddiflannu i lawr y stryd mae Robert yn cicio'r posyn o Rosys y Nadolig i'r gwter.

Mae llygaid Lizzie fel soseri. Daw'r syndodau bach pleserus fesul un ac un i'w swyno. Motor cars drudfawr ar y dreif; porthor yn ei lifrai glas yn agor y drws cerfiedig iddi hi a Jane; pobol yn sefyllian yn y cyntedd moethus neu'n eistedd ar y staer yn sgwrsio, sigaréts a gwydrau gwin yn eu dwylo; parlwr sy'n atseinio i gerddoriaeth *flapper* ar y *gramophone*; pobol yn cyfarch ei gilydd mewn lleisiau croch, yn galw'i gilydd yn 'darling' ac yn cusanu a chofleidio; plu a pherlau am yddfau ac mewn gwalltiau; y ford helaeth yn llwythog o fwyd *buffet* – samwn, twrci, salad, ffrwythau a basnaid mawr o *punch*. Dyma beth yw parti.

Ac mae Lady Bronwen Orme-Wilkinson, a'r bluen las o gynffon paun yn ei gwallt, yn rhyfeddod ynddi hi ei hun.

– *Jane, dear. You've arrived. And it's Elizabeth, isn't it? I'm so very glad to meet you.* I'm sorry I can't speak to you in 'yr hen iaith'. Wedi mynd tipyn bach yn *rusty* fel maen nhw'n deud. Ond croeso i *chez* Wilkinson yr un fath.

Ac i ffwrdd â hi, fel llong hwyliau ar fae Ceredigion, i gyfarch rhywun arall. Mae Jane a Lizzie'n cymryd gwydraid yr un o'r gwin sydd ar y ford. Ac fe sylwa Lizzie bod Jane yn gwenu ar rywun – rhyw ddyn, dyn ifanc golygus iawn – sy'n ei llygadu o ben draw'r stafell. Heb dynnu ei llygaid oddi arno mae Jane yn sibrwd.

– Marcus. 'I gŵr hi. Ma' pymtheng mlynedd rhyntyn nhw. Dyw e ddim yn 'i charu hi.

– Shwt wyt ti'n gwbod?

Cwestiwn dwl, Lizzie fach. Onid yw'r olwg freuddwydiol ar wyneb Jane yn dweud y cwbwl?

O dan bont ar yr Embankment mae 'na barti gwahanol iawn. Dwsin neu fwy o drigolion y stryd, rhai ohonyn nhw'n eistedd wrth lygedyn o dân yn yfed o botel neu o gwpan toredig, ambell un yn cuddio o dan flancedi carpiog, ambell un yn syllu draw dros yr afon fel petaen nhw'n chwilio am wlad sy'n well i fyw.

Un o'r rhain yw Luther. Mae ganddo botel yn ei law ac mae carthen amdano. Ond ei lygaid sy'n ei wneud yn wahanol i'w gymdeithion. Llygaid gwag, er eu bod yn llawn dagrau. Llygaid sy'n syllu ar oleuadau'r gorwel, y gorwel agos sydd mor bell â'r sêr. Gwena wrth glywed llais tenor hardd yn dechrau canu *Silent Night*. Does ganddo ddim dewis ond ymuno ag ef.

– 'Dawel nos,
     Sanctaidd yw'r nos . . .'
– *Shut up, Luther, I'm tryin' to sleep!*

Lizzie sy'n ei weld gyntaf – yn dod i mewn drwy'r drws, yn sibrwd â'r porthor sy'n mynd i chwilio am Lady Orme sy'n ei arwain ati hi a Jane. Does dim angen iddo sibrwd mwy na'i henw ac fe sylweddola bod rhywbeth mawr yn bod.

– Gwen? Beth sy wedi digwydd iddi, Wncwl Robert?

Greddf? Ie. Ac ofn. Hwnnw sy'n ei gyrru i wthio'i ffordd rhwng y cyrff blonegog a'u bwyd *buffet* a'u sigaréts a'u gwydrau, heibio i'r porthor ac allan drwy'r drws cerfiedig.

Mae Luther, yn ddall i ysgyrnygu ei gymdogion, yn fyddar i'w rhegfeydd a'u bygythiadau, yn dal i ganu. Dyw e ddim yn syllu ar y goleuadau, dyw e ddim yn gweld y sêr. Y cyfan a wêl yw poen a galar yng nghorff un plentyn bach.
  – 'Ar gyfer heddiw'r bore'n faban bach
    Yn faban bach,
    Y ganwyd Gwreiddyn Jesse'n faban bach . . .'
  Yn sain ei lais tenor swynol, fe welwn Lizzie, a Jane a Robert yn ei dilyn, yn rhuthro ar hyd coridorau Ysbyty Guys. Drws ar ôl drws yn agor o'u blaenau, yn cau y tu cefn iddyn nhw. Coridor ar ôl coridor, a'r boen ar wyneb Lizzie'n annioddefol.
  – 'Y Cadarn ddaeth o Bosra
    'Raddewid gynt o Seina,
    Yr Iawn gaed ar Galfaria'n faban bach
    Yn faban bach,
    Yn sugno bron Maria'n faban bach.'
  Mae hi'n rhuthro i mewn i'r stafell i weld John yn troi tuag ati, ei lygaid yn llawn dagrau; mae Wncwl Isaac ac Anti Annie yno; mae 'na ddoctor, a dwy neu dair o nyrsys; mae Jane yn gafael ynddi, a rhywle y tu cefn iddi mae Wncwl Robert yn hofran.
  Ond mae llygaid Lizzie wedi'u hoelio ar y gwely bach o'u blaen, ac ar y corff bach llonydd sy'n gorwedd o dan y cwrlid gwyn. Mae 'na rwymyn am y pen; mae'r wyneb fel y galchen; mae'r llygaid wedi'u cau.
  Fe glyw lais rhywun yn ei phen. Llais pwy tybed?
  – I'm sorry, Mrs Jenkins. So very sorry . . .
  Ac yna, breichiau John amdani a'i ddagrau ar ei boch.

Ac ar yr Embankment mae trigolion y stryd yn dymuno Nadolig Llawen i'w gilydd yn seiniau Big Ben yn taro deuddeg.
  – Nadolig Llawen i chi'r jawled!

Nos Galan, 1921

Yn llwydni'r prynhawn hwyr, mae John a Lizzie'n sefyll wrth
fedd bach newydd mewn mynwent enfawr. Rhes ar ôl rhes o
feddi unffurf; milltiroedd o lwybrau'n ymgordeddi drwy'i
gilydd, a grŵn pell, parhaus y brifddinas yn y cefndir.
Beth sy'n mynd drwy eu meddyliau yn yr oerfel tywyll? Eu
bod yn deall cystal â neb beth yw ystyr 'gwynt traed y meirw'?
Ydyn nhw'n cwestiynu'r 'drefn', ac yn gofyn yr hen, hen
gwestiynau seithug – 'Pam Gwen?', 'Pam ni?'
Pwy ŵyr?
Mae Lizzie'n sibrwd. Mae hi'n anodd deall beth mae hi'n ei
ddweud.
– Ti'n cofio beth wedodd Wncwl Robert wrthon ni? Y
nosweth 'ny yn Ffynnon Oer, pan o'n i'n ysu am ddod i
Lunden?
– Odw, am yr 'aur ar strydoedd Llunden'.
– 'Ma' digonedd 'na', medde fe. Ti'n cofio? 'Dim ond i chi
whilo amdano fe'.
Prin y gallwn glywed y geiriau nesaf.
– Ond fan'na, dan y pridd ma'n aur fach ni.

Cloch y *telephone* sy'n dihuno Ifan Bach. Bu'n cysgu ers awr
ym mreichiau Esther ar y soffa esmwyth yn y parlwr. Roedd
hithau'n pendwmpian, ac Ifan hefyd, y *Welsh Gazette* dros ei
wyneb.
Dyma'r ildio cyntaf i flinder ers dros wythnos. Cadw i fynd
oedd y gyfrinach, er gwaetha popeth – clywed am y golled fawr,
y daith i Lundain, mynd â Morgan i'r ysbyty, disgwyl
canlyniadau'r profion.
A nawr mae'r ddau ar eu traed, y babi'n llefen, a Marged yn
sefyll yn y cyntedd yn syllu'n ofnus ar y teclyn atgas. Does
ganddi ddim dewis ond ei ateb.
– *Doctor Robert Roberts' residence.*

– Marged, fi sy 'ma.

Mae ei rhyddhad yn amlwg.

– Dwi yn yr ysbyty. Deuda wrth dy rieni am gymryd tacsi yma.

– Wncwl Robert, shwt ma' Morgan?

Dyw hi ddim yn sylwi ar yr eiliad o betruso.

– Mae o'n dda iawn. Dal i ddisgwyl canlyniada'r profion.

– Ma' fe'n mynd i fod yn iawn – on'd yw e?

Petruso tipyn hwy y tro hwn.

– Wrth gwrs 'i fod o. Fel deudis i, mymryn o *chill* ar 'i frest
o. Fydd o'n iawn 'mhen wythnos neu ddwy.

Lwcus i Marged nad yw hi'n gweld yr olwg ofidus sydd arno
wrth balu celwydd.

Funud yn ddiweddarach mae Robert yn brasgamu'n sionc i
mewn i stafell Morgan gyda Mr Simon Evans, arbenigwr ar
glefydau'r frest. Gwena'r ddau wrth weld Morgan yn eistedd yn
y gwely, yn chwarae gêm o ddraffts gyda nyrs fach ifanc, bert,
sy'n neidio ar ei thraed yn syth.

– Peidiwch â chynhyrfu, Nyrs Owen. Gobeithio'ch bod chi'n
rhoi crasfa iawn i'r hogyn. Ond mae Mr Evans a finna isio gair
ag o.

– Shwt wyt ti heddi, Morgan Jenkins?

– Yn weddol fach, diolch.

– Wel beth gythre'l wyt ti'n neud ar wastad dy gefen yn y
gwely 'ma? Pobol dost sy fod fan hyn – ontefe Robert?

– Bachu ar y cyfla i ddarllan yr holl lyfra 'ma mae o. Mi fydd
o'n gwbod mwy na chi a finna am feddygaeth cyn bo hir! Heb
sôn am chwara draffts!

– Diogi sy'n 'i fyta fe, weden i!

– 'Na beth ma' Mam yn 'weud!

– Wel mae'n well i ti ddechra bihafio gan 'i bod hi a dy dad
ar 'u ffordd yma rŵan!

Prin y gallwch weld y cysgod a ddaw dros wyneb Morgan.

– Licen i ofyn . . . Ga i godi i'r gader cyn iddyn nhw
gyrra'dd? 'Sdim isie iddyn nhw 'ngweld i yn y gwely.

– Pam lai? Nyrs Owen! Ma' Mr Jenkins moyn codi i'r gadair.

Does gan y nyrs fawr o brofiad nyrsio a dim profiad actio,
felly mae'r syndod ar ei hwyneb yn amlwg.

– Dewch nawr! Fe 'neith fyd o les i'r diogyn bach!

Mae un goes mas o'r gwely pan ddaw pwl o beswch drosto. Mae'r nyrs yn rhuthro i ddal basn o flaen ei geg. Aiff y ddau feddyg allan gan gau'r drws yn dawel.

Yn ddiogel yn swyddfa Simon Evans mae'r gwir yn brifo. Pwy fyddai'n meddwl? Robert Roberts, y meddyg profiadol, y cymeriad cadarn, y cadno cyfrwys yn brifo cymaint nes bod y dagrau'n llifo.

– Mae o'n gwbod, 'tydi, Simon?

– Wrth gwrs 'i fod e'n gwbod! Ma' fe â'i ben mewn llyfr neu gylchgrawn rowndabowt! Ond fe wna i 'ngore glas i leddfu pethe iddo fe.

– Diolch. Beth bynnag fydd o'n 'gostio, wyt ti'n dallt?

Mae Mr Simon Evans yn deall yn iawn.

Yn ei ffordd fach ryfedd mae Lady Bronwen Orme-Wilkinson hefyd yn deall. O dan yr haenen ffug o gyfoeth a pharchusrwydd mae ganddi galon fawr.

– *My dear Jane! Of course you can have the afternoon off!* A dwi isio i ti fynd â pharsal o fwyd iddyn nhw fwyta yn y trên. *Your poor mother – losing her little grand-daughter like that, and your poor brother in hospital.* Ac ar ben y cyfan mae gynni hi'r babi bach yna i'w fagu. *At her age! Poor woman, I'd be exhausted!* A deud y gwir wrthat ti, Jane, *if I had a baby now I'd die!*

Mae hi'n hwylio i gyfeiriad y gegin i drefnu'r parsel bwyd. Felly dyw hi ddim yn sylwi ar Marcus yn wincio ar Jane nac yn clywed yr hyn y mae'n ei ddweud.

– *A baby? Now that would be very inconvenient for us all!*

Mae Ifan Bach yn rhwyfus. Prin y gall Marged ei gadw'n llonydd yn ddigon hir i wisgo'i *leggings* a'i ddillad cynnes amdano.

– Dal sownd, y mwnci bach! Ma'n rhaid i ti wisgo'r dillad 'ma i fod yn gynnes ar y trên. On'd wyt ti'n foi bach lwcus? Mynd o'r twll lle 'ma, 'nôl i Ffynnon Oer gyda Dat a Mam a Morgan, 'nôl at Pero a Mot a'r cathod a'r da gyd. A finne'n goffod aros fan hyn i dendo ar Wncwl Robert – cwcan 'i blwmin fwyd e, glanhau 'i blwmin dŷ fe, golchi'i ddillad brwnt e – ych-a-fi! Heb sôn am ateb 'i blwmin ffôn e! Ond fydda i ddim 'ma'n hir. O na – gynted ag y galla i, fe fydda inne ar y trên 'nôl i Ffynnon Oer.

Mae Esther newydd ddweud ei bod hi'n gweld golwg well ar Morgan heddiw. Hi'n unig a ŵyr a yw hi'n dweud y gwir.

– Mam, sawl gwaith ma'n rhaid i fi weud? Wy'n iawn. Gwedwch wrthi, Wncwl Robert.

– Nid fi 'di'r arbenigwr. Be 'dach chi'n 'ddeud, Mr Evans?

– Wyt ti'n gwella'n dda. Ond licen i bo' ti'n aros 'ma am wthnos ne' ddwy.

Tawelwch llethol nes i Esther siarad.

– I beth yn gwmws?

– I gadw llygad ar yr *infection*. A ma' gofyn ffido'r crwt. On'd o's e, Morgan?

– Iawn. Fydden i wrth 'y modd yn ca'l aros 'ma. I ga'l llonydd i ddarllen y llyfre 'ma.

– Ac i osgoi gwaith caled Ffynnon Oer! Yntê, Ifan?

Chaiff Robert ddim ymateb. Y cyfan a wna Ifan yw syllu'n fud drwy'r ffenest, ar goll yn lân yn ei fyd bach ei hunan. Esther sy'n gorfod bod yn ddigon dewr i drafod.

– Wthnos ne' ddwy wedoch chi.

– Ie. Fe gewn ni weld shwt fydd e erbyn hynny.

– 'Na fe 'te. Chi sy'n gwbod ore.

– Ond 'dan ni'n disgwyl i ti ddarllan pob un o'r llyfra 'ma!

Cyn pen ychydig wythnosau, fe fydd pawb sy'n bresennol yn y stafell – Ifan, Esther, Robert, Simon Evans ac Enid Owen – yn cofio gwên fwyn Morgan a'i ateb siriol.

– O na! Cha i byth amser i fynd drwyddyn nhw i gyd!

Fe gofian nhw hefyd yr eiliadau llonydd, tawel cyn i Esther dynnu Beibl bach o'i bag.

– Ma' hi'n bwysig bo' ti'n darllen hwn bob dydd. Addo?

– Addo.

Mae Esther yn ei gofleidio, ac Ifan yn ysgwyd llaw a dweud y peth cyntaf a ddaw i'w feddwl yn hytrach na'r hyn sydd yn ei galon.

– Lwc dda i ti, Morgan bach.

120

– Diolch. A Dat . . . Mam . . . Pidwch becso . . .

Ac yna mae pawb wedi mynd â'i adael. Pawb ond Enid. Hi sy'n dal ei ben yn dyner wrth iddo chwydu gwaed.

Stesion Paddington, a wynebau prudd Ifan ac Esther yn ateb y cwestiwn amlwg nad oes neb am ei ofyn. Neb ond Marged ddiniwed.

– Ble ma' Morgan?

Robert sy'n ateb drwy sôn am yr angen am orffwys a gofal, am driniaethau a chyffuriau newydd. Sylla Esther ar ei phlant yn gwrando'n astud arno. John, yn welw a phigfain, â'i fraich am ysgwydd Lizzie; Martha, yn gofalu am y bagiau; Marged, ag Ifan Bach yn ei breichiau. A hi, wrth gwrs, sy'n gofyn y cwestiwn arswydus.

– Ond ma' fe'n mynd i wella?

Drwy ryfedd wyrth does dim rhaid eı hateb gan fod Jane yn cyrraedd â'i gwynt yn ei dwrn, yn cario basged fwyd.

– Anrheg i chi 'wrth Lady Orme. Arhoswch chi nes welwch chi beth sy 'na. Ham, samwn, *pineapple* . . .

– Jane, pryd welwn ni di yn Ffynnon Oer?

Mae sydynrwydd cwestiwn Esther yn syfrdanu pawb, yn enwedig Jane ei hunan, sy'n gafael yn Ifan Bach o freichiau Marged.

– Fe ddwa i cyn hir, wy'n addo.

– Cofia i bwy wyt ti'n perthyn, Jane fach. 'Na'r cwbwl weda i. A ma' hynna'n wir amdanoch chi i gyd. 'Sdim ots beth sy wedi digwydd, na beth ddigwyddith 'to, y'n ni'n deulu cryf. John – a tithe Lizzie – fe gethoch chi brofedigeth fowr, ond fe ddowch chi drwyddi . . . Jane – ma'r crwt bach 'na wyt ti'n 'i fagu'n ca'l pob whare teg . . . Martha, ma' hi'n anodd hebddot ti yn Ffynnon Oer . . . A hebddot tithe, Marged fach . . . A Morgan wedyn . . . Edrychwch ar 'i ôl e, druan bach . . .

Mae hi'n bryd mynd. Does dim byd mwy i'w ddweud. Oes, un peth.

– Wy'n dymuno'r gore i chi gyd – a Blwyddyn Newydd Well . . .

– 'Blwyddyn Newydd Dda i chi,
    Ac i bawb sydd yn y tŷ,
    Dyna yw 'nymuniad i
    Ar y flwyddyn newydd hon.'
Côr o leisiau yn y caffi, yn dathlu pleidlais fawr yr *Home from Home* mai 'yn y cartre y mae lle pob menyw'. Mae David wrthi'n taeru â Martha mai hi ddylai fod wedi annerch, cyn sylweddoli'n sydyn bod ganddi bethau dwysach ar ei meddwl.
    – Sori, Martha. Ble ma'n sens i? Do'n i ddim yn cofio am y groten fach.
    – A ma' 'mrawd i'n dost.
Blaenoriaethau bywyd. Sbort diniwed yn y capel, plentyn bach sydd wedi marw a bachgen ifanc yn ddifrifol wael. A'r hen 'drefen' od sy'n rheoli'r cwbwl.
    – Otych chi'n gapelwraig, Martha?
    – Na. Dim ar ôl beth nethon nhw i ffrind i fi.
    – Gath hi 'i thorri mas?
    – Mewn ffordd o siarad. Beth amdanoch chi?
    – Efengyl Marx yw'r un i fi! Rhannu popeth yn gyfartal.
    – Yr un neges sy 'da efengyl Marc!
    Mae David yn rhyfeddu at y groten. Does dim pall ar ei gallu a'i gwybodaeth. Cyn iddo feddwl ddwywaith fe ofynna iddi gadw cwmni iddo yn nathliadau Nos Galan yr Embankment. A chyn iddi hithau feddwl ddwywaith fe gytuna Martha. Mae angen cwmni arni heno.

Ysu am gwmni a wna Vera hefyd, cwmni un dyn yn arbennig. Bu'n wythnos hir a diflas hebddo. Dim neges, dim galwad ffôn, dim byd. Mae hi'n damio'i hunan am feddwi'r noson honno, am golli'i thymer, am ddifetha'r unig beth sy'n bwysig iddi. Treuliodd noson ar ôl noson yn ffieiddio'i chwsmeriaid yn y clwb – dynion a ddylai fod adre gyda'i gwragedd yn hytrach nag yn gwagsymera gyda hwrod. Collodd noson ar ôl noson o gwsg, yn meddwl amdano, yn dyheu am glywed ei lais, yn dychmygu ble'r oedd e, a chyda phwy.
    Ble mae'r dyn heno, a chyda phwy? Pa hawl sy ganddo i'w thrin hi fel hyn? Ar ôl sawl whisgi mae hi'n dechrau colli amynedd. Does dim amdani ond codi'r *telephone*.

122

Pum caniad . . . Deg . . . Pymtheg . . . Ugain . . .
– *Bastard!*
Fe gaiff dalu am hyn.

Fel petai cloch y ffôn yn canu a chanu'n ddiddiwedd ddim yn ddigon i godi arswyd ar Marged mae'r cloc yn y cyntedd yn diasbedain un ar ddeg o'r gloch. Ac yna tic-toc-tic-toc cyson yn gymysg â sŵn dŵr yn cronni mewn peipiau, a gwynt yn ysgwyd y ffenestri. A rhywle yn y pellter mae sŵn gweiddi a chanu a rhialtwch gwyllt. Mae hi'n crynu drwyddi. O'i blaen ar y ford, wedi'i oleuo gan un lamp fach wantan, mae llun-pensil ar ei hanner, llun o wyneb Morgan, un o nifer fawr ohono sydd yn ei llyfr arlunio. Mae ynddo hefyd ddwsinau o luniau o'i theulu – yn enwedig o Ifan Bach. Yr un o Gwen yw'r diweddaraf, yr un a luniodd neithiwr o ffotograff ohoni Nadolig y llynedd, yn ei ffrog fach orau a Jemeima o dan ei chesail.

Yn sydyn mae hi ar ei thraed ac yn diffodd y lamp. Rhuthra drwy'r tywyllwch at ddrws y ffrynt – ac allan.

Diolch i'r drefn nad yw Vera'n sylweddoli bod Robert o fewn decllath i ddrws ei chlwb. Beth fyddai wedi digwydd petai'n ei weld yn hofran ar ben y stryd, yn edrych ar y lamp fawr goch yn ysgwyd yn y gwynt cyn cerdded ganllath yn ei flaen a throi i'r chwith ac yna i'r dde a chnocio ar ddrws mawr gwydr â blaen ei ffon? A Duw a ŵyr beth fyddai'n digwydd petai hi'n gweld y fenyw sy'n agor y drws iddo – menyw smart, olygus, rhyw bump ar hugain oed sy'n gwenu'n gynnes arno. Mae'n siŵr y byddai Vera'n ei ladd petai hi'n clywed y geiriau y mae'n eu sibrwd wrthi.

– *I'm lonely, and I want your company* . . .

Yn eu stafell gyfyng mae John a Lizzie'n gorwedd ym mreichiau ei gilydd gan syllu ar y nenfwd. Ond bob hyn a hyn mae llygaid Lizzie'n crwydro at y gwely bach gwag yn y cornel, ac at y ddoli glwt sy'n gorwedd yno'n wên o glust i glust.

Yn y pellter gallant glywed cloch yn dechrau taro deuddeg.

123

Ar hyd yr Embankment mae bonllef o weiddi a chanu'n boddi seiniau Big Ben. Cannoedd o bobol, a Martha a David yn eu plith, yn croesawu'r flwyddyn newydd gyda'i gilydd.

Ond mae 'na rai sydd am ddianc rhag y rhialtwch, sy'n cysgodi o dan bontydd, yn cuddio o dan flancedi. Un o'r rhain yw Luther. Fe gwyd ei flanced dros ei ben a griddfan.

Mae hi'n dawel ym mherfeddion yr ysbyty. Dim rhialtwch, dim sŵn cloc na chloch yn taro. Dim byd ond distawrwydd pur, antiseptig, soporiffig.

Ond mae drws yn gwichian wrth i rywun wthio drwyddo. Mae sŵn traed yn atseinio'n ysgafn dros y coridorau gwag. Ac mae clic yr handlen ar ddrws ei stafell yn peri i Morgan godi ei ben o'r gobennydd i weld pwy yw'r ymwelydd berfedd nos fel hyn.

– Beth wyt ti'n neud 'ma?

– Isie cwmni . . .

Chwarter awr yn ddiweddarach mae Nyrs Enid Owen yn pipo drwy wydr y drws. Yng ngolau ei fflachlamp fe wêl Morgan Jenkins yn cysgu a'i fraich am ferch ifanc sy'n gorwedd ar ben y cwrlid gwyn. Mae eu pennau ynghyd ar y gobennydd, eu hwynebau'n agos. Er gwaethaf y golau gwan mae'r tebygrwydd yn syfrdanol.

Mae hi'n ysgwyd ei phen yn drist ac yn cerdded yn ei blaen. Beth bynnag fydd y canlyniadau, nid yw am eu gwahanu. Fe ddaw gwahanu arall ar eu gwarthaf cyn bo hir.

CHWEFROR, 1922

Dyma ddiwrnod pen blwydd cyntaf Ifan Enoc Jenkins, ac fe sylla'n syn ar Ifan ac Esther yn canu 'Pen Blwydd Hapus' iddo. Ond ar ôl llinell neu ddwy, Esther yw'r unig un sy'n dal i ganu. Mae Ifan wedi gorfod ildio i bwl o beswch sy'n dod â dagrau i'w lygaid.

Mae Esther yn datgelu'r anrheg y bu'n ei guddio'r tu ôl i'w chefn, ac mae'r llygaid glas yn agor fel soseri. Motor car o bren, un du, tebyg i un Wncwl Robert, yr olwynion yn troi a chwbwl, a'r cyfan wedi'i gerfio'n gain gan Ifan. Gwena Esther wrth weld y bysedd bach yn chwilota'r tegan yn eiddgar. Ac yna'n sydyn daw'r hen bwl o hiraeth drosti unwaith eto fel y gwna bob tro y gwêl hi gadair Morgan, a'r holl gadeiriau eraill, mor greulon, amlwg o wag. Cadeiriau gwag, llond pen a chalon o atgofion.

Cnoc ar y drws a wyneb haul-yn-machlud Bet y Post yn pipo rownd iddo sy'n ei thynnu'n ôl i'r presennol. Mae 'na lythyr i Ifan a chardiau pen blwydd o Lundain i Ifan Bach.

– 'Na neis bod 'i frodyr a'i whiorydd wedi cofio amdano fe!

Fe sylweddola Bet ei chamgymeriad ar unwaith. Un brawd sydd gan Ifan Bach. Mae dechrau ymddiheuro'n gwneud pethau'n waeth felly bant â hi'n ddywedwst ar ei beic gan adael llonydd i Esther daclo Ifan am y llythyr.

– Faint yw e, Ifan?

– Faint yw beth?

– Y bil 'na! Hwnna wyt ti wedi'i gwato yn dy boced.

Does dim dewis ganddo ond ei roi iddi i'w ddarllen.

– Beth 'newn ni, Esther fach? Allwn ni byth â'i dalu fe. Fwy na allwn ni dalu'r lleill. Fydd rhaid gofyn i Isaac ne' Robert am fenthyciad.

– Na! Fe ddaw 'na rwbeth . . .

– Fe ddaw tato ar bren afal hefyd.

*

125

Yn ei chwpwrdd o stafell wely yn atic Lady Orme mae Jane yn agor y cês mawr lledr sydd, fel arfer, wedi'i guddio o dan ei gwely. Ar ben y pentwr o bapurau a llythyron, ei dyddiadur, pwrs bach du, y Beibl a gafodd gan ei mam pan ddaeth i Lundain, a dau neu dri o lyfrau, y mae'r lluniau. Ifan Bach, yn ei wisg bedydd, yn crychu ei dalcen rhag yr haul; Esther, yn ei dillad gorau, yn ei fagu'n falch, ac Ifan yn dalsyth y tu ôl iddyn nhw. A'r llall – Martha wrth ochor ei thad yn edrych yn stern, Morgan yn gwenu wrth ochor ei fam, a Marged yn penlinio o'u blaen. Mae Jane yn eu gosod yn ôl yn ofalus yn y cês. Rhaid peidio ildio i hen emosiwn dwl. Gafaela yn y pwrs a'i agor. Ynddo mae breichled arian, modrwy aur a mwclis o gerrig mân amryliw. Mae hi'n rhoi'r mwclis am ei gwddf, yn syllu ar ei llun yn y drych, ac yn ei ffieiddio'i hunan.

– *Jane, my lovely little Welsh lady, my wife's out shopping so come to bed with me.*

Mor hawdd. Mor hyfryd. Mor ofnadwy. Jane fach Jenkins, newydd fod yn caru â dyn priod, un nad yw'n ei charu. Mae ôl ei wallt ar ei gobennydd, a stwmp ei sigâr yn y ddysgl sydd ar y ford.

– *If you're a good girl I may see you late tonight, when everyone's safe in bed. Oh, I forgot, Cinderella's going to the ball.*

Mae 'na ffrog yn hongian ar y cwpwrdd, un o ffrogiau Lady Orme, yr un y bydd Jane yn ei gwisgo heno i ginio'r *London Welsh.*

– *Isn't she kind, my darling wife? Taking one of her servants with her? Even lending her one of her dresses? Don't look like that! I'm only pulling your leg.*

Mae hi'n garedig iawn, fel mam.

– *You'll want to see me tomorrow, won't you? You'll want old Marcus to love you tomorrow?*

Wrth gwrs y bydd hi. Mae hi'n ei garu.

O'r ffrâm gerfiedig sydd ar y silff ben tân mae Morgan yn gwenu ar Marged ac mae Ifan Bach yn crychu'i dalcen rhag yr haul. Ond dyw Marged ddim yn edrych arnyn nhw. Mae hi'n rhy brysur yn smwddio crys gwyn Robert. Rhaid ei gael yn berffaith, fel y tei-bow a'r macyn gwyn, a'r siwt ddu sy'n hongian ar fachyn ar y drws; fel yr het sidan y bu wrthi'n ddyfal yn ei brwsio, a'r sgidiau y bu wrthi'n eu polisho.

Mae hi'n gweithio mor galed fe ddaw Robert i mewn i'r gegin a sefyll y tu ôl iddi heb iddi sylwi. Mae golwg bryderus arno wrth ei gweld wedi ymgolli mor llwyr. Mae hithau'n dychryn wrth iddo ei chyfarch.

– Dyw cino ddim yn barod!

– Tydw i ddim isio rhyw lawar. Mi fydda i'n cael pryd mawr heno. Isio llonydd i orffan sgwennu'n araith ydw i. Ac i drio cofio amball stori ddoniol. Mae'r cnafon bob amsar yn gwerthfawrogi'r rheiny. Oes gin ti un i mi?

Marged â stori ddoniol? Go brin.

– Ia wel, dwi am fynd i'r stydi – i chwilio am yr awen! A gyda llaw, mi wyt ti wedi cael hwyl ar y dillad yma.

Mae hi'n nodio'i phen.

– Marged, wyt ti'n iawn?

Yr un peth eto – nodio'i phen a smwddio'n ffyrnig.

– Gwranda, os wyt ti isio siarad . . . Mae hi'n bwysig i ti siarad . . . A dwi'n barod i wrando.

Yn sydyn, mae hi'n troi ato ac mae'r olwg arteithiol o ddigalon sydd ar ei hwyneb yn ei ddychryn.

– Wncwl Robert, wy'n 'i golli fe shwt gymint. 'Na i gyd . . .

Ac yn ôl â hi i'w byd bach ei hunan a'r smwddio ffyrnig.

– *Workers of the world – unite!*

Mae David Davies yn ei elfen. Trueni nad yw'r ugain neu lai o gynulleidfa sydd o'i flaen yn rhannu'r tân sydd yn ei fol. Ond y gwir yw eu bod wedi clywed gwell areithwyr ar *Speakers' Corner* na'r tipyn *Taffy* hwn.

– *Greedy landowners and ironmasters have exploited us for centuries! And now the coalowners! But comrades, our time has come! We must shout 'No'!*

'*Hear, hear!*' bach digon llugoer gan un llais dewr yw'r unig ymateb. Difaterwch rhonc sydd yn wynebau'r gweddill, heblaw am un dyn corffog yn y blaen sy'n crechwenu ar David gan ddisgwyl ei gyfle.

– *We must fight injustice, comrades! We owe it to our*

127

ancestors who worked – and died – like animals! We owe it to our children!

Dyma'r arwydd i Martha ddechrau rhannu'r taflenni. Mae ambell un yn eu derbyn â chwilfrydedd, ond mae'r mwyafrif yn eu gwrthod.

– Comrades, we refuse to be fodder for the ruling classes!

– Shut your mouth, you Bolshi Bastard!

Daeth ei gyfle. Rhwyga'r daflen a brasgamu at David fel petai am ei waed.

– We fought the bloody war – and won – for the likes of you!

Yn sydyn mae rhywun mewn clogyn hir a het fawr ddu yn codi o fainc gerllaw. Brasgama'n urddasol i'r blaen a throi i wynebu'r dyrfa sy'n ei lygadu â llawer mwy o ddiddordeb nag oedd ganddyn nhw yn David.

– Fighting wars, killing our brethren, is no answer to the suffering of humanity!

– Tell that to the bloody Huns!

– What good has come of the war with them, my friend?

– The war to end all wars! That's what it was! The politicians said . . .

– Politicians! 'Efo oedd Llywydd y frigâd, a difa dynion oedd ei drâd. Roedd ei sbieinddrych yn odidog, ond beth a wyddai ef am fidog?'

– What's that gibberish you're spouting?

– I, my friend, am spouting poetry. Welsh poetry. 'Fab y Bwthyn tlawd, paham y lleddaist ti dy frawd?' *If we must fight, let us fight for peace!*

– He's a bloody conshi! And you know what we should do with conshis! String 'em up!

– Dewch, Luther. Fydde'n well i chi fynd o 'ma.

Mae Martha wrthi'n casglu'r posteri a'r taflenni, ac yn tynnu ar fraich Luther, sy'n ei hanwybyddu.

– 'Pa sawl dyn a saethaist heb ei weld dy hun na chlywed am un waith ei lef, a heb un cweryl gydag ef?'

– I'm off! I'm having nothing to do with mad conshis!

Ac i ffwrdd ag e fel petai'r diafol ar ei ôl. Gwasgara'r gweddill, wedi cael eu sbort am y dydd. Mae David yn dechrau diolch i Luther am fod mor unplyg o egwyddorol. Ond y cyfan a wna

Luther yw gwenu'n drist arno ac yna cerdded i ffwrdd. Martha yw'r unig un sy'n clywed yr hyn a ddywed o dan ei wynt.

– 'O am fynd o'r gwaed a'r twrw i'r angof sy'n y gasgen gwrw!'

Mae Robert yn ceisio rhoi perswâd ar Marged i wisgo'i chot.

– Tyd rŵan, mi wyt ti'n cael cynnig mynd allan *on the town*. Mi gei di brynu rwbath lici di yn Fortnum and Mason. A beth am *afternoon tea* yn y Savoy?

– Dim diolch . . . Rhaid ailfeddwl y cynlluniau.

– Wyddost ti be, Marged Ann Jenkins? Ti 'di'r unig ddynas dwi'n 'i nabod fasa'n gwrthod y fath gynnig! Wel, wn i be 'nawn ni. Dwi am fynd â ti i'r caffi byd-enwog hwnnw yn Covent Garden – y Croeso Cafe. Iawn?

Eiliad o ystyried cyn iddi gytuno.

– A mi gei di aros yno efo Martha heno, rhag i ti fod yma ar dy ben dy hun.

Cytuno eto. Oes gobaith bod pethau'n dechrau gwella? Mae hi'n amlwg o'r olwg bryderus ar ei wyneb nad yw Robert yn credu hynny.

Mae brwydr arall ar fin digwydd yn y Croeso Caffi. Llwyddodd David i godi gwrychyn Dan wrth adael ei blacardiau a'i bosteri'n drwch ar lawr y caffi. Mae 'na bethau eraill hefyd yn mynd o dan ei groen – David â'i *'comrade'* a'i *'butty'* a'i *'boyo'*, yn cael cwpaneidiau o de am ddim gan Martha, heb sôn am ambell dafell o fara a menyn; Martha, sy'n mynd i eistedd gydag e wrth y ford yn hytrach na thynnu ei phwysau. Ond problem fwyaf yr hen Dan yw ei ddirmyg llwyr o David Davies a'i deip, sef Comiwnyddion, Sosialwyr, Bolshis a chefnogwyr y Blaid Lafur – yr un blas sydd i'r cyw a'r cawl yng ngolwg Dan. Yr hyn sy'n cymhlethu'r sefyllfa yw bod y diffyg parch yn gweithio o'r ddwy ochor. Mae David yn casáu â chasineb llwyr ddaliadau cyfalafol Dan, ei hunan-dyb, ei ymdriniaeth sarhaus o fenywod, yn enwedig Martha, a'i jôcs amheus.

Daw'r ffrwtian i'r berw pan wêl Dan gwsmeriaid yn baglu i mewn i'r caffi dros baraphernalia David a'i baglu hi mas yn syth.

– Reit! Cer gatre! A cer â'r baneri 'ma 'da ti.

– Cer dithe i'r jawl!

– Mas!

– Dim nes gwetith Martha wrtha i!

– Gwed wrtho fe, Martha!

– Gad lonydd iddi! Wyt ti 'di rhoi hen ddigon o ordors iddi am un dwyrnod!

– Ca' dy geg, y Bolshi!

Mae 'na gadair yn troi, bord yn ysgwyd, llestri'n syrthio i'r llawr ac yn torri, a chwsmeriaid yn dianc drwy'r drws. Ac yna mae llais tawel Martha a'i chorff eiddil rhwng y ddau darw.

– David – well i ti fynd.

Does ganddo ddim dewis. Cusan ar ei boch, ei haddewid y caiff ei gweld fory, ac mae David wedi mynd. Mae Dan yn ddigon call i beidio â chodi dim mwy ar ei gwrychyn – am y tro.

*

Pwy yw'r dieithryn ar draeth Aberaeron? Mae hi'n anodd gweld ei wyneb y tu ôl i'w fwffler, ac mae ei het ledr, frown yn isel dros ei dalcen. Ond rhwng top y mwffler a chantel yr het gwelwn fod ei lygaid yn wyrddlas fel y môr a bod croen ei wyneb mor frown a gwydn a chrychog â lledr yr het. Cerdda dros y cerrig mân â'i ddwylo'n ddwfn yn ei bocedi a'i ysgwyddau llydan yn siglo fel llong ar lawn hwyl. Ai'r sach ganfas drom, sach morwr, sydd ar ei gefn sy'n peri iddo gerdded ag awgrym o herc?

Daw at y cei a mynd i eistedd ar fainc i danio mwgyn ac i fwrw golwg dros y cychod a'r rhwydi. Mae ambell bysgotwr yn ei gyfarch ac mae yntau'n eu hateb drwy godi ei law. Ac yna ymlaen am y dref, rownd Alban Square at y Feathers, ac yna'n ôl at y bont yn hamddenol a dechrau dringo rhiw Clogfryn. A'r holl amser, er bod pobol yn ei gyfarch yn llawn chwilfrydedd ac yn sibrwd amdano yn ei gefn, nid yw'n yngan gair o'i ben. Ond fe ddywed y mân grychau bob ochr i'w lygaid drygionus y cyfan. Mae'r dieithryn yn cael modd i fyw.

Milltir o ymlwybro lan y rhiw at groesffordd Brynarfor. Does neb ar gered – pawb call a lwcus yn cadw'n gynnes wrth y tân.

Dim ond dieithriaid hanner call a dwl sy'n mentro mas i oerfel diwetydd ym mis Bach.

Daw at glwyd y fynwent ac oedi am ennyd cyn ei hagor a cherdded ar hyd y llwybr rhwng y beddi. Oedi eto ac yna gadael y llwybr a cherdded dros y borfa wleb at fedd mawr marmor, â'i golofn uchel yn drwch o ysgrifen euraid. Enwau a dyddiadau yn cwmpasu tair cenhedlaeth. Yr enw diweddaraf, ar ddarn o bren dros dro, yw enw Morgan Jenkins.

Ar glos Ffynnon Oer mae'r gwartheg yn brefu eu protest wrth lifo fesul un i mewn i'r beudy. Mae hi 'mhell dros amser godro, mae eu cadeiriau'n drwm ac maen nhw wedi hen flino ar stablan yn y llacs.

– Trw' fach . . . Trw' fach . . .

Mae golwg flinedig ar Esther wrth eu hysio i mewn drwy'r drws. Bu'n ddiwrnod anodd – rhwng gwneud ymdrech i ddathlu pen blwydd Ifan Bach a hwnnw'n sobor o anwydog a di-hwyl; rhwng trio bod yn gefn i Ifan ar ddiwrnod llawn emosiwn; a rhwng trio peidio â meddwl am Morgan ac uffern y ddeufis olaf. Ac mae'r nosweithiau di-gwsg a'r dyddiau hir o fagu plentyn rhwyfus yn ei llethu erbyn hyn. Magu, magu, ddydd a nos, a thrio cysgu awr neu ddwy nawr ac yn y man. Er ei fod yn cysgu ar hyn o bryd does dim cyfle iddi hi gael hoe gan nad oes sôn am Rhys. Nid ei bod hi'n gweld bai arno, druan. Mae ganddo galon fawr, yn helpu mas yn Ffynnon Oer yn gyson er bod baich Tynrhelyg ar ei ysgwyddau er marwolaeth sydyn ei dad.

Ond dyma fe, yn cyrraedd ar ei feic, yn ymddiheuro am fod yn hwyr ac yn sôn yn fyr ei wynt am ddieithryn sy'n ei ddilyn i lawr y lôn . . .

– Mrs Jenkins?

Does dim modd ei weld yn glir. Cysgod o ffigwr yn sefyll draw wrth wal y twlc. Ond daw'n nes a gallant weld ei het a'i fwffler, ac mae ganddo fag morwr ar ei gefn.

– Mrs Jenkins, I'd like a word . . .

– Ifan! Dere 'ma! Dere i siarad â'r Sais 'ma! My husband, Ifan. He speaks English. Ifan! Dere!

– But you are the boss, Mrs Jenkins. You always have been – since you were a little girl . . .

Erbyn hyn mae Ifan wedi dod o'r beudy, ac fel Esther a Rhys

fe sylla'n llawn amheuaeth ar hwn sy'n eu llygadu dros ei fwffler. Mae Esther yn ymdrechu i ddweud rhywbeth – unrhyw beth.

– *I don't know . . . Who are you?*

Daw sŵn chwerthin iach o'r tu ôl i'r mwffler, chwerthin sy'n peri i'r dieithryn blygu yn ei ddwbwl nes bod ei het yn syrthio a'i fwffler yn llithro o'i wyneb.

– Esther fach, pam wyt ti'n bracsan Sisneg â dy frawd?

Eiliad o benbleth llwyr – ac yna'r adnabyddiaeth.

– Enoc!

– Shwt wyt ti, Esther fach?

– Enoc – ar ôl yr holl flynydde . . .

*

Mae Marged yn codi'i llaw ar Robert ac yn gwylio'r motor car du yn diflannu i ben draw'r stryd. Ac ar unwaith fe deimla'r hen ias cyfarwydd drwy ei chorff. Ias o ansicrwydd, o unigrwydd, o ddigalondid enbyd. Na, mae e'n fwy, yn gryfach ac yn ddyfnach na'r rheiny i gyd. Ias o ofn ydyw. Ofn ei hansicrwydd truenus; ofn unigrwydd stryd brysur yng Nghovent Garden; ofn ei digalondid a'i hiraeth ar ôl Morgan. Mae'n rhaid iddi ddianc, chwilio am gwmni, cwmni Martha a Dan a phwy bynnag arall fydd yno yn niogelwch y caffi. Mae hi'n mynd i bipo drwy'r ffenest ac yn falch o weld mai dim ond nhw'u dau sydd yno – Martha a Dan. Ond mae 'na rywbeth o'i le. Maen nhw'n edrych yn gas ar ei gilydd, yn gweiddi ar ei gilydd, yn taflu cyhuddiadau a bygythion at ei gilydd. A chyda phob cyhuddiad a bygythiad mae Marged yn gwingo.

– Ma'n well i ti anghofio am y Bolshi ddiawl! Ne' fe geith Dat a Wncwl Robert wbod shwt gwmni wyt ti'n 'i gadw!

– Fe weda i ambell beth amdanat ti, hefyd! Ac am yr arian sy'n diflannu o'r til!

– Os wyt ti'n awgrymu . . .

– Dim awgrymu – gweud! A ma' Jane yn gweud yr un peth! 'Na beth o'dd dy gêm di yn y siop! Dwgyd 'wrth dy rieni di dy hunan! Y cadno bach!

– A wyt tithe'n hen ast!

Fe gafodd Marged hen ddigon. Does dim croeso iddi yn y caffi. Mae hi'n troi ac yn rhedeg drwy ei dagrau i'r tywyllwch.

– Marged druan . . .

   – Ia, dwi'n poeni amdani.

Ac mae'r ffaith bod Robert yn poeni'n ddigon i Annie ac Isaac. Wrth gwrs bod angen iddi alaru am Morgan, ond pam na all wneud hynny'n agored? A beth am yr holl *sketches* ohono? Dyw'r peth ddim yn iach.

Annie, yn blwmp ac yn blaen, fel arfer, sy'n gofyn y cwestiwn amlwg.

– Chi'n credu 'i bod hi'n dost yn 'i phen?

A Robert, y doctor profiadol, sy'n gorfod rhoi'r ateb cytbwys.

– Dwi'n meddwl y dylia hi weld rhywun. Mi fedrwn i drefnu.

Gŵyr Robert yn iawn beth fyddai hynny'n ei olygu. Trefnu codi mwy o ofn ar Marged a rhoi mwy o ofid i Esther ac Ifan. Trefnu cymryd mwy o gyfrifoldeb ar ei ysgwyddau ei hunan, ac yntau, Duw a ŵyr, â digon o broblemau'n barod. Mae Vera'n dal i'w boeni; mae Grace, er gwaethaf ei ymdrech ofalus i gadw'i bellter rhagddi, yn ei gwneud yn amlwg bod ganddi feddwl mawr ohono. Ac, wrth gwrs, mae'r busnes yn y caffi'n ofid mawr, yn ofid y dylai fod yn rhannu gyda'i bartner busnes. Ond gan mai hwnnw yw tad yr un sy'n peri'r gofid, mae'r sefyllfa'n gymhleth. Ond y tad sy'n agor y drafodaeth, unwaith y gwêl gefn ei wraig sy'n mynd i wisgo ar gyfer cinio'r *London Welsh*.

– Ma' hi'n edrych 'mla'n at heno.

– Chwara teg iddi.

– Ie. O'dd hi'n hen bryd i ni ga'l nosweth bant, cau'r siop yn gynnar, anghofio am bopeth. Er ma' hynny 'bach yn anodd . . .

– Pam?

Mae hi'n anodd agor trafodaeth am gamwri'ch mab eich hunan.

– Daniel ni . . . Ma' fe'n tynnu'i bwyse, on'd yw e? Yn y caffi? 'Sdim lle i achwyn amdano fe – o's e?

– Pam wyt ti'n holi?

– Dim . . . Hynny yw . . . Robert, ma'r *takings* lawr, on'd y'n nhw.

– Ydyn, yn sylweddol.

– Er bod y caffi'n fishi rowndabowt.
– Ia . . .
– Alle rhywun fod yn dwgyd?
Dweud y gwir yw'r unig ddewis.
– Medra, Isaac. Mi fedra rhywun fod yn dwyn.

– *Well! Well! Doesn't Cinderella look beautiful tonight?*
– *Don't tease her, Marcus. And don't you take any notice of him, Jane. You look lovely, and he knows it.* Rŵan 'ta, dwi am i ti wisgo'r *pearls* yma. Tydi'r *necklace* bach *cheap* yna ddim hannar digon da.
– *Oh, no I couldn't . . .*
– *Don't argue!* Cymer nhw. *And here's your daffodil.* A Jane fach, *we mustn't forget we're Welsh!* Well i ni siarad mwy o'r hen iaith!
A'i wraig yn llifo yn ei sidan i lawr y grisiau at y *carriage*, mae Marcus yn sibrwd yng nghlust Jane.
– *See you later, my little Welsh lady!*

*

Mae Enoc ac Ifan Enoc Jenkins yn dwlu ar ei gilydd. Maen nhw'n syllu ar ei gilydd yn llawn rhyfeddod, y naill yn sibrwd a'r llall yn gwneud synau bach bodlon.
– Bachgen, bachgen! A meddwl 'u bod nhw wedi d'enwi di ar 'yn ôl i! 'Na ti gyfrifoldeb y jawl, ontefe! Sori – ma'n rhaid i dy Wncwl Enoc beido â rhegi o dy fla'n di ne' fe geith e gic owt.
Gwena Esther wrth glirio'r llestri swper. Mae hwn yn donic, fel chwa o awyr iach o'i gymharu â . . . Na, rhaid peidio â'i gymharu ag Ifan, sy'n pendwmpian yn ei gadair o flaen y tân gan ollwng ochenaid hir bob hyn a hyn fel petai'n ymdrechu i gael gwared â phwysau mawr o'i grombil. Roedd yntau'n falch o weld y pererin yn dychwelyd o ben draw'r byd, ond roedd gwrando ar ei storáis carlamus dros swper yn flinedig. Roedd Esther wrth ei bodd yn ei glywed yn rhestru'r enwau hudolus – Casablanca, Marrakech, Venezuela, Rio, Buenos Aires, Tierra del Fuego – fel petai'n agor llyfr o luniau lliw o'i blaen. Mae

hi'n anodd credu. Y brawd bach wedi dychwelyd, hwnnw a gefnodd ar rigol undonog bywyd yn y wlad ac a fentrodd yn bymtheg oed ar long hwyliau ei ewyrth. Daeth yn ôl o ben draw'r byd, yn ddi-wraig, yn ddi-deulu ac yn ddigartref – ond yn gyfoethog o brofiadau ac â digonedd o arian, medde fe, yn ei sach fawr ganfas.

*

Pererin arall sy'n sefyllian yn yr oerfel y tu fas i Westy'r Savoy, yn gwylio'r crachach yn cyrraedd yn eu *carriages* a'u tacsis, eu daffodils yn amlwg yng nghanol eu sidan a'u perlau a'u plu. Robert yw un o'r rhai cyntaf, yn awyddus i gael digon o amser i ymlacio cyn traddodi ei araith.
– Luther! Sut 'dach chi heno?
– Go lew, wir . . . Ma' hi'n nosweth fowr i'r crachach!
– Dowch rŵan. Mae hi'n braf cael tipyn o rialtwch bob hyn a hyn.
– Ody sbo . . .
Daw pwysigyn blonegog a'i wraig blufiog i siarad â Robert, felly fe dry Luther ei sylw at bwysigyn arall, un monoclog y tro hwn.
– Nosweth dda i chi gyfaill! A phob hwyl i'r dathlu!
– *What?*
– Dathlu gŵyl ein nawddsant, ontefe!
– *Yes . . . Quite . . .*
Diflanna'r fonocl i mewn i gyntedd cynnes y gwesty.
– Dewi bach . . . Bachgen, bachgen, wyt ti siŵr o fod yn troi yn dy fedd!

*

Erbyn hyn mae Ifan Bach yn ei wely. Daeth ei brotest arferol i ben a chyda lwc fe fydd yn cysgu am awr o leiaf, felly dyma gyfle i Esther gael hoe i fwynhau hanesion ei brawd am China Joe, Ratty Savage, Miguel Fernandez, The Cadiz Twins ac Old Ma Valentine, bob un ohonyn nhw'n fyw ac yn iach yng nghegin Ffynnon Oer. Mae'r botel *rum* yn ei law a gwres y tân ar ei fochau yn ychwanegu at flas y dweud, ond y mwynhad o fod adref yn ei gynefin, yma yng nghartref ei chwaer, sy'n gyfrifol am y wên barhaus ar ei wyneb.

Ond daw eu sbort i ben yn ddisymwth. Mae Ifan yn codi o'i gadair ac yn pwyntio at y botel.

– Rho honna heibo. A phaid â'i dangos hi yn y tŷ 'ma byth 'to!

A sŵn ei draed yn llusgo lan y staer mae Esther yn sibrwd wrth ei brawd.

– Dyw e ddim yn dda. Y cwbwl wedi mynd yn drech nag e. Y ffarm, trefnu arian, busnes Jane a Ifan Bach, y plant i gyd yn mynd i Lunden . . .

Mae hwyl yr awr ddiwethaf wedi diflannu'n llwyr.

– Heb sôn am golli Gwen . . . A Morgan . . .

Mae Enoc yn rhoi ei fraich amdani.

– Y'ch chi wedi godde uffern, Esther fach.

Ac mae Ifan Bach yn dechre llefen yn y llofft.

*

– Barchus gynulleidfa, foneddigion, foneddigesau . . . Sir William Lloyd Davies, Lady Margaret . . . Pleser o'r mwyaf yw hi i mi sefyll o'ch blaenau yn rhinwedd fy swydd fel Llywydd y Gymdeithas anrhydeddus hon ar ddydd gŵyl ein Nawddsant . . . *Ladies and Gentlemen, it is with great pleasure that I address you tonight as President of our illustrious society. Saint David's Day has a very special place in every true Welshman's heart, a day when we remember our roots, and thank the Lord that we were born Welsh . . .*

Mae cynulleidfa Robert yn curo'i dwylo'n awchus ac mae'r '*Hear! Hear!*' torfol yn atseinio drwy'r neuadd. Dau gant o Gymry Llundain newydd orffen pryd o fwyd rhagorol ac yn barod i gydnabod eu gwreiddiau'n falch ac i fynegi eu dyled i'w mamwlad – a'r rhan fwyaf yn diolch i'r drefn eu bod yn byw ymhell ohoni. Bu rhai, fel Isaac ac Annie, yn cynilo arian ers misoedd i dalu am eu tocyn; mae rhai eraill, fel Lady Orme, yn byw a bod y bywyd da'n feunyddiol. Robert a dalodd am docyn Grace, fel arwydd o'i werthfawrogiad iddi am ei gwaith – er ei bod hi'n ei weld yn arwydd o rywbeth dyfnach. A Lady Orme a dalodd am docyn Jane, sy'n amlwg wrth ei bodd. Penderfynodd siarad Saesneg â phawb – hyd yn oed â'i modryb a'i hewythrod. Mae ei hacen Cocni cystal ag un neb, a dyw hi ddim am roi cyfle i'r crachach wneud hwyl am ben ei hacen Aberaeron.

Petai hi ddim ond yn sylweddoli mai un o Langrannog yw Sir William Lloyd Davies, y gŵr gwadd, a'i wraig o Plwmp. Gallech dyngu bod y ddau yn hanu o St. John's Wood, a hwythau ddim ond wedi byw yno ers deugain mlynedd.

– *On behalf of Lady Margaret and myself, thank you for your hospitality. And one word before I finish. Let us never forget that we are Welsh. Let us wear our Welshness, like our daffodils, with pride.* Diolch yn fawr. A Cymru am byth.

Mae Robert yn diolch iddo'n huawdl.

– *It is men like you, Sir William, true sons of Wales, who show the way forward to the rest of us – not only back home in* 'yr hen wlad' *but wherever Welshmen may be, throughout the world.*

Curo dwylo byddarol eto, dau lwnc destun – un i Nawdd Sant Cymru a'r llall i *His Majesty The King,* a daw'r noson i ben yn seiniau gorfoleddus y ddwy Anthem Genedlaethol.

Hanner awr yn ddiweddarach, mae dau ddyn yn gwylio'r ecsodus o'r gwesty. Ond dy'n nhw ddim yn gwylio pawb. Does ganddyn nhw ddim diddordeb yn Sir William Lloyd Davies a'i wraig sy'n camu i mewn i'w motor car sgleiniog, nac yn Isaac ac Annie a Grace sy'n mynd i mewn i dacsi. Dy'n nhw ddim yn sylwi ar Lady Orme yn pwyso'n sigledig ar fraich Jane wrth fynd i mewn i'r *carriage.* Maen nhw'n anwybyddu pawb ond un – Dr Robert Roberts.

Mae wyneb un o'r ddau'n gyfarwydd inni, ond mae hi'n anodd rhoi enw iddo. Hwnnw sy'n rhoi pwniad i'w gyfaill moel pan glyw Robert yn dweud wrth borthor nad yw'n bwriadu cymryd tacsi am ei bod yn noson ddigon braf i gerdded. Hwnnw sy'n dechrau cerdded ar ei ôl, o hirbell, gan amneidio ar y llall i'w ddilyn.

Ddecllath y tu ôl i Robert gallant glywed clic-clic-clic ei sgidiau am yn ail â tap-tap-tap ei ffon. Gallant ei glywed yn hymian bob hyn a hyn, am yn ail â chwibanu'n ysgafn.

137

– 'E's like a bloody musical box!

Mae'r cyfaill moel yn pwffian chwerthin. Mae'n siŵr mai'r cynnwrf bach yma sy'n peri i Robert droi ei ben yn ôl yn sydyn a chraffu i lawr y stryd. Ond does dim i'w weld, dim ond cath yn sleifio rownd y cornel.

Mae hi'n od sut y bydd rhywun yn synhwyro ei fod yn cael ei ddilyn. Er nad oes dim i'w weld na'i glywed mae rhyw fyseddu ysgafn ar y gwegil, ias i lawr y meingefn, trydan yn y gwallt yn peri anesmwythyd ac yn bwydo'r ysfa i edrych dros yr ysgwydd ac i gerdded yn gyflymach. Ond y camgymeirad mawr yw dechrau rhedeg. Dyna yw'r arwydd bod arnoch ofn. Dyna sy'n peri i'r un sydd yn eich ymlid flasu gwaed.

Dyn iach a chymharol heini yw Robert er ei fod dros ei ddeugain oed. Fe ddylai fod yn gallu rhedeg yn ddigon chwimwth heb golli ei wynt. Ond bu hon yn noson hir, yn drwm o fwyd a diod. Yn anochel, felly, a'r helfa ar ei hanterth, a'i wynt yn byrhau fesul stryd fach dywyll, mae'r helgwn yn cau amdano, yn ei ddal ac yn ei fwrw glatsh i'r llawr. Dwy gic i'w arennau, un arall yn ei ben, ac un, i orffen, yn ei berfedd.

– The bastard's 'ad enough.

Do, mae'r jobyn drosodd.

Dim cweit. Mae bysedd chwimwth yn chwilota drwy ei bocedi, yn gafael yn ei arian mân, ei waled, ei lyfr bach cyfeiriadau, ei facyn sidan a'i fwndel o allweddi ac yn rhwygo'i oriawr a'i gyfflincs aur o'i freichiau. Caiff yr arian mân eu rhannu yn y fan a'r lle, cyn stwffio gweddill yr ysbail i gwdyn papur brown.

– Let's go, Jimmy!

Sŵn traed yn rhedeg oddi wrtho, poen annioddefol yn ei gylla a sŵn mellt a tharanau yn ei ben. Dyna fyd bach dychrynllyd Robert wrth iddo chwydu i'r gwter. A gwaed. Ac enw Jimmy. A wyneb Vera'n crechwenu arno.

Anghenfil y nos sy'n cwrso Marged, un anferth â'i lygaid fel lampau, yn sgrechen ei gynddaredd, yn poeri mwg a stêm. Mae hi'n rhedeg nerth ei thraed o'i flaen ar hyd y platfform. Gall deimlo'i anadl yn dwym ar ei gwegil. Daw yn nes ac yn nes. Does dim dianc rhagddo bellach.

Toriad gwawr yng Nghovent Garden a phrysurdeb y dydd yn dechrau. Ac yng nghlydwch y Croeso Cafe, mae David Davies yn mynnu sylw Martha.

– Ma'n rhaid i ti wrando arna i!

Bu'n gwrando arno ers hanner awr, ers iddo ei dihuno â'i gnocio taer ar y drws. Ond bellach, a'i hamynedd yn dechrau pallu a'i meddwl ar gig moch a wyau a thefyll o fara menyn, hanner gwrando y mae hi. Fe ddywedodd ei neges sawl gwaith – ei fod yn casáu byw yn Llundain, ei fod am 'symud 'mlaen' a theithio'r byd. Y cyfan y gall hithau ei ailadrodd fel peiriant yw 'Neis iawn' neu 'Pam lai?' neu 'Pob lwc i ti, wir'. Nes iddo ollwng y daranfollt.

– Dere 'da fi, Martha. Gadel y twll lle 'ma. Dechre bywyd newydd. Mynd i weld y byd. Dere 'da fi – achos wy'n dy garu di.

Gan i Martha glywed bron yr union eiriau gan ddyn arall, gŵyr yn union beth i'w ddweud.

– 'Na' yw'r ateb, David. Wedyn paid â gofyn i fi byth 'to.

Ei phendantrwydd sy'n ei fwrw.

– Ryw ddwyrnod, Martha . . .

– Na, David, dim byth.

Mae hi'n ddigon anodd iddo fynd â'i gadael. Mae hi ganmil gwaeth mynd heibio i Dan a'i grechwen.

– Ti'n gadel, *comrade*?

– Otw. A paid â becso dim – ddwa i byth yn ôl!

Fe gafodd yr hen *gomrade* ei ffusto, druan. Am y tro . . .

Y geiriau 'Feddyg, iacha dy hun' sy'n mynd drwy feddwl Robert. Ac er gwaetha'i boen affwysol fe wena ar ddoniolwch a difrifoldeb y sefyllfa. Dyma fe'r Meddyg Robert Roberts yn gorwedd ar gowtsh yn ei syrjeri ei hunan, yn cael ei dendio gan ei ysgrifenyddes, ei ddillad crand yn bentwr gwaedlyd ar y llawr, a'i ben a'i berfedd fel jeli. A'r cyfan oherwydd hen hwren fach ddialgar.

Er gwaethaf cyffyrddiad ysgafn Grace mae hi'n anodd peidio gwingo gan y boen. Grace, a'i hunanfeddiant a'i phrofiad wedi bod yn achubiaeth iddo pan ddaeth hi ar ei draws yn gorwedd yn y *porch*. Duw a ŵyr sut y llwyddodd i godi o'r gwter ac ymlusgo yno heb dynnu sylw neb. Hi wedyn, heb holi cwestiynau, a lwyddodd i'w berswadio i ddringo'r staer ac i orwedd fan hyn ar y cowtsh. Mae hi eisoes wedi canslo'i apwyntiadau am y dydd. A dyma hi nawr yn tendio'i friwiau. Mae hi'n ddynas fawr . . .

Mae Vera'n byseddu'r ysbail sydd ar y ford o'i blaen. Oriawr a chyfflincs aur, bwndel o allweddi, waled ledr, a macyn poced sidan. Mae hi'n codi'r macyn at ei boch yn dyner ac yn sychu'r dagrau sy'n cronni yn ei llygaid. Mae ôl ei cholur du ar y sidan gwyn.

Mae 'na restrau o enwau a chyfeiriadau yn y llyfr bach. Does dim sôn am Vera Thornton o dan 'V' na 'T'. Mae Vera'n rhwygo'r llyfr yn ddarnau mân ac yn eu taflu i'r fasged sbwriel. Yna gafaela yn y waled. Mae tri phapur punt ynddo, a'i gardiau ymweld, a dwy dderbynneb, a rhif *telephone* rhywun yn Brighton, a darn o docyn trên. A dim byd arall. Mae hi'n taflu'r waled ar y bwrdd ac yn cynnau sigarét. Ac yna, am ryw reswm, mae hi'n byseddu'r waled ac yn ei throi a'i throsi yn ei dwylo. Croen llo, drud, chwaethus, pwythau cywrain, pocedi bach cyfleus, poced fach guddiedig – ac ynddi lun, ffotograff bach, dau ffotograff bach . . . Dau ffotograff, yn amlwg wedi'u torri o rai mwy, wedi'u cuddio rhag i neb eu gweld.

Mae hi'n eu gosod ar y bwrdd o'u blaen ac yn syllu arnyn nhw.

Bu hyn i gyd yn shiglad i Grace – dod ar draws Robert yn sypyn o waed, tendio'i glwyfau ac yna ei glywed yn dweud nad yw'n bwriadu hysbysu'r heddlu. Nawr, wrth edrych arno'n sipian ei de mor druenus o ddiymadferth fe sylweddola nad oes ganddi ddewis. Mae'n rhaid iddi ddweud wrtho. Mae'n rhaid iddi ddweud y cyfan sydd ar ei meddwl ac yna wynebu'r canlyniadau.

– Robert, ma'ch gweld chi fel hyn, a dyall nag y'ch chi am drio cosbi'r cnafon yn rhoi gofid mowr i fi. A ma'n rhaid i chi sylweddoli 'mod i'n dyall mwy nag y'ch chi'n 'feddwl. Fe ges i sawl sgwrs ar y *telephone* yn ddiweddar – â Miss Vera Thornton. A gweud y gwir, fe ges i sawl sgwrs â sawl menyw.

Ond Miss Thornton o'dd y waetha. A licen i i chi wbod na alla i byth â wynebu lot mwy. Ma' 'da fi ormod o feddwl ohonoch chi . . .

Ac yna mae'r ffôn yn canu. Fel arall – pwy a ŵyr? Falle y byddai Grace wedi dweud mwy, wedi dweud gormod. Falle y byddai wedi cyfaddef ei bod yn ei garu ac nad oedd posib iddi barhau i weithio iddo. Falle y byddai Robert wedi ymateb a dweud wrthi bod ganddo yntau feddwl mawr ohoni hithau. Falle y byddai eu carwriaeth ryfedd wedi egino yn y fan a'r lle yn hytrach na blodeuo'n raddol, fel y gwnaeth. Falle hyn a falle'r llall. Ond, a Martha ar y ffôn yn awyddus i gael gair â Marged, a Marged i fod yn ddiogel yn y caffi gyda Martha, mae'r cyfan, yr egluro, y cyfaddef, yr emosiwn a'r blaenoriaethau, yn newid ar unwaith, a chyn pen awr mae'r dyn sy'n gwingo gan boen bob tro y bydd yn symud gewyn heb sôn am gerdded cam neu ddau wedi hysbysu'r heddlu o ddiflaniad Marged, wedi cysylltu â nifer o ysbytai ac wedi llwyddo i gael gafael ym mhob un o deulu Ffynnon Oer yn Llundain. Pawb ond Jane.

Mae hi'n eistedd gyda Marcus yn y *gazebo* bach sydd ym mhen draw'r ardd. Maen nhw'n ddigon diogel gan nad oes neb ond Marcus a Lady Orme yn cael mynd yn agos at y lle ac mae hi'r ledi'n dal i rochian cysgu yn ei gwely. Bu neithiwr yn ormod iddi, ac mae hi wedi rhoi gorchymyn nad oes neb i darfu arni cyn hanner dydd. A beth bynnag, dim ond eistedd gyda'i gilydd y maen nhw. Does dim anfoesol nac aflednais yn digwydd.

Dim nad yw Marcus yn dymuno i hynny ddigwydd. Ond yn anffodus, mae Jane wedi dechrau mynd yn sentimental, gan ganu clodydd Lady Orme a sôn gymaint yw ei pharch tuag ati a chymaint yw ei gwerthfawrogiad o'i charedigrwydd. Yn waeth, ac yn fwy diflas fyth i Marcus, mae hi wedi dechrau siarad am ei theulu a'i magwraeth – am fferm fawr lewyrchus yn Nyffryn Aeron, am ddau gan cyfer ffrwythlon, am fuches enwog o Welsh Blacks a hanner dwsin o weision a morynion. Yr unig reswm y daeth hi a'i brawd a'i chwiorydd i Lundain oedd er mwyn ehangu gorwelion a gweld y byd. Ac mae Marcus yn gwenu'n wybodus – ac yna'n gafael ynddi ac yn ei chusanu'n chwyrn ac yn ei gwthio'n ôl yn erbyn cadair frwyn ac yn gwthio'i law o dan ei sgert. Ac mae hithau'n sibrwd y geiriau gwaharddedig yn ei glust.

– *I love you, Marcus.*

Ac mae Marcus yn oeri drwyddo.

Mae hynny'n fendith. Yr eiliad y gollynga'i afael ynddi a syllu'n oeraidd arni, yr eiliad y sylweddola hithau mor oer yw ei lygaid, maen nhw'n clywed llais ei wraig yn galw Jane. Does dim i'w wneud ond cymhennu ei gwallt a'i dillad, mentro mas i'r ardd a cherdded at y tŷ. Mae Lady Orme, yn ei gŵn gwisgo, ei hwyneb yn welw a digolur, yn sefyll wrth y *French Windows* ac yn gwenu'n rhyfedd arni.

– Ble oeddat ti, Jane? *The servants couldn't find you.*

– *I was walking . . . Needed some fresh air . . .*

– Wyt ti wedi gweld Marcus? *He's another one who's disappeared!*

Fe fydd Jane yn cofio'r wên am byth. Ond ar hyn o bryd, y neges ffôn sy'n bwysig.

– Dy ewyrth Robert . . . Marged, dy chwaer, wedi mynd ar goll . . .

Ymhen chwarter awr mae Robert wedi cyrraedd.

– *Good gracious, Robert!* Be ddigwyddodd? *Did one of your patients turn on you?*

– *You could say that . . .*

Ond Marged sy'n mynd â'u bryd, a Lady Orme, i ddechrau, yn ceisio gwneud yn ysgafn o'r sefyllfa.

– *Could she be with friends? A 'young man' perhaps?*

– Does gin Marged ddim diddordab mewn petha fel'na. Nag oes, Jane?

– Yn wahanol iawn i'w chwaer. Ia, Jane?

Lady Orme a Robert – mae'r ddau'n llygadu Jane. A phwy sy'n ymddangos drwy'r *French Windows* ond Marcus.

Mae'r trydydd cwsmer anfodlon ers awr yn rhoi clep i ddrws y caffi nes bod y cyfan yn ysgwyd. Ymateb Martha yw taflu llestri ar y cownter nes bod slops yn tasgu ac yn diferu lawr i'r llawr.

– Beth sy'n bod ar bobol? Cwyno, cwyno bob munud! Y te'n oer, y bara'n sych, y coffi'n rhy gryf. Wel twll 'u tine nhw!

142

Penderfyniad doeth Dan yw peidio â dweud dim. Menyw ddansherus yw Martha mewn hwyl ddrwg. Ac mae ganddi reswm da dros fod mewn hwyl ddrwg iawn y bore 'ma. Mae Marged ar goll ers ddoe a Dan a Robert sy'n cael y bai. Dan a'i ffraeo dwl â Martha neithiwr a yrrodd Marged bant o'r caffi. Robert yw'r un a'i gadawodd yn ddiymadferth ar y stryd. Mae'r busnes yna gyda'r Bolshi wedi ei chythruddo'n fawr, ac mae'n rhaid i Dan gyfaddef iddo wneud camgymeriad wrth ei daflu mas. Ond camgymeriad gwaeth oedd ceisio cymodi â hi gynnau, a'i chysuro.

– Cymer air o gyngor 'da dy gefnder drwg. Moch yw dynion, a phaid byth â chwmpo mewn cariad â dim un o'r jawled. *'Love them – and leave them'* yw'r polisi gore.

Y polisi gorau fyddai fod wedi cadw'i geg fawr ynghau gan iddo orfod dioddef llid ei thafod ar ei fwyaf miniog.

Ar ben y cyfan, ac yn waeth na'r cyfan o safbwynt Dan, mae hi'n dal i fygwth cario cleps am ei ddwylo blewog. Gallai hynny fod yn ddiwedd arno. Bu diflaniad Marged yn achubiaeth iddo am y tro, ond rhaid troedio'n ofalus o hyn ymlaen.

Diolcha mai un cwsmer sydd yn y caffi erbyn hyn, a chan mai Luther yw hwnnw, dyw e ddim yn cyfrif. Diolcha hefyd pan gyrhaedda Jane a Robert a pherswadio Martha i fynd gyda nhw i'r Dairy i gael pwyllgor teulu. Fe fydd yn falch o gael llonydd am awr neu ddwy. Mae teulu Ffynnon Oer yn dechrau mynd yn fwrn. Mae popeth wedi mynd yn fwrn. Mae hyd yn oed geiriau Robert wrth ffarwelio yn ei anesmwytho.

– Mi wela i di'n hwyrach, Daniel – pan fydda i'n galw am y *takings*.

Neu ai'r olwg od ar wyneb clwyfedig Robert sy'n ei flino?

A nawr dim ond fe a Luther sydd yn y caffi.

– Jawl eriôd, Daniel bach Jenkins, ma' hi gered 'ma! Tr'eni am y groten fach. Lle ar jawl yw Llunden i fynd ar goll . . . Uffern ar y ddaear . . . A fe ddylen *i* wbod . . .

Mae'r drws yn agor a phwy sy'n sefyll yno, ei chyrls cringoch fel fflamau rownd ei hwyneb gwelw, ond Vera.

– A 'ma ti groten arall sy ar goll, weden i . . .

– *Bugger off, you tramp. I want a word with Danny boy.*

Gwg yw ei hymateb pan blyga Luther ei ben yn gwrtais. Ac yna, mae Luther wedi mynd, gan adael Dan ar ei ben ei hunan ar drugaredd menyw sy'n ei lygadu fel y bydd neidr yn llygadu llygoden. Does ganddo ddim syniad beth yw ei neges. Oes, mae arno ddyled iddi, ond nid ei steil hi yw cwrso'i dyledwyr yn bersonol. Ai un o'i merched sydd wedi bod yn achwyn amdano? Cyn iddo ddyfalu dim mwy mae hi'n dweud rhywbeth mewn llais mor isel fe gaiff drafferth i'w deall.

– *I saw your cousins leave . . . And your Uncle Robert . . .*
– *There's been some trouble . . .*
– *Trouble! You ain't seen nothin' yet!*

Mae hi'n mynd i eistedd, yn gosod sigarét mewn *holder,* yn ei chynnau ac yn chwythu'r mwg i'w wyneb. Yna mae hi'n agor ei phwrs, yn gafael mewn dau lun bach ac yn eu gosod ar y ford o'i blaen. Mae Dan yn adnabod yr wynebau'n syth.

– *She's your cousin Jane, ain't she? She just left. But who's the baby, Daniel? Is it Jane's? And tell me this. If Jane's the mother – who's the father?*

Mae hi'n gwybod beth yw'r ateb i'w chwestiwn ei hun. Dan sydd yn y tywyllwch yn llwyr.

Drennydd, a'r gofid o golli Marged wedi mynd yn drech na hi, mae Esther yn sgubo'r llawr â Robert.
– Shwt allech chi, Robert? 'I gadel hi ar y pafin, ar 'i phen 'i hunan! Croten fach ddiniwed fel'na!
– Dwi'n cydnabod bod bai arna i . . .
– Twt! Arna i ma'r bai. Yn 'i gorfodi hi i ddod i'r uffern 'ma yn y lle cynta!

Newydd gyrraedd yr uffern y mae hi, ac mae popeth yn dywyll. Mae'n rhaid iddi daro mas at bawb, yn enwedig Robert. Does ganddi ddim diddordeb yn y ffaith ei fod yn gwneud popeth yn ei allu i ddod o hyd i Marged – yn cysylltu'n gyson â'r heddlu a'r ysbytai, yn talu am hysbysebion mewn papurau newydd, ac wedi trefnu bod ei llun ar bosteri sy'n cael eu harddangos ledled y ddinas. I Esther, ei brawd-yng-nghyfraith yw'r bwgan mawr a fu'n gyfrifol am ddiflaniad ei merch.

Clywed y ffrae drwy'r pared a wna Jane. Yn syrjeri Robert y mae hi, yn magu Ifan Bach. Mae hi'n cerdded rownd y stafell, yn cyffwrdd y peth hwn a'r peth arall – y lamp ar y ddesg, y llyfrau, y llythyrau a'r papur sgrifennu; troli wydr, yn llawn o offer sgleiniog; stethoscop, offer cymryd pwysau gwaed, thermomedr; jẁg o ddŵr a gwydrau; y cloc sy'n tician ar y silff ben tân. A'r llun mewn ffrâm fawr arian. Llun o deulu dedwydd mewn gardd ar ddydd o haf, dydd bedydd Ifan Bach. Mae pawb yn hapus. Pawb ond hi. Ond beth sydd arni? Sut y medrai hi fod yn hapus a hithau ddim yn y llun?

Mae Vera'n yfed gwin. Bu'n yfed ers dros awr, gwydraid ar ôl gwydraid melys sydd wedi ei gwneud yn reit benysgafn. Rhwng sipian y gwin a syllu ar ddau lun bach sydd o'i blaen, mae hi'n sgrifennu llythyr. Ac yna'n sydyn, mae hi'n rhwygo'r papur ac yn ei daflu i fasged orlawn, cyn gafael mewn darn papur arall a dechrau eto.

Feddyliodd Dan erioed y bydden nhw'n galw yn y caffi.
– *You can't come in here!*
– *Sorry, mate. Miss Thornton's orders. An' I tell you this – she wants 'er money badly. And she wants it now – as in the next five minutes.*
– *Listen, Jimmy . . .*
– *'Mister Jarvis' to you, Danny boy . . .*
Mae'r ddau, Jimmy a'i gyfaill moel, yn eistedd wrth y cownter, o dan boster ac arno lun o Marged yn gwenu yng ngardd Ffynnon Oer.

Y tro hwn mae hi'n blêsd â'i gwaith. Mae hi newydd ddarllen drwy'r llythyr, ond yn hytrach na'i osod mewn amlen mae hi'n dechrau sgrifennu llythyr arall. Yr hyn sy'n rhyfedd yw ei bod yn copïo'r llythyr cyntaf air am air.

Mae Robert yn gwylio Jane yn croesi'r ffordd o'i gar at ddrws tŷ Lady Orme. Yn ddiarwybod iddo mae Martha'n ei wylio yntau.
– Jane druan. Dim Marged yw'r unig un sy ar 'i meddwl hi, chi'n gwbod.
– O?
– Ma' hireth am Ifan Bach yn 'i lladd hi'r dyddie 'ma. Weloch chi hi'n 'i fagu fe gynne? A wedyn yn goffod 'i roi fe'n ôl i Mam? Ma' hi'n torri'i chalon . . .

145

Daw Marcus i'w chyfarfod wrth y drws. Maen nhw'n gwenu ar ei gilydd, yn cyffwrdd yn ysgafn yn nwylo'i gilydd, cyn mynd i mewn a chau'r drws ar eu holau. Mae Robert wedi gweld hyn i gyd. A thrwy'r amser mae Martha wedi bod yn syllu ar ei wyneb.

Gweld motor car Robert yn parcio'r tu fas i'r caffi sy'n rhoi'r ceubosh ar y cyfan. Does dim dewis gan Dan ond agor y til, stwffio papurau punt i law Jimmy, addo y caiff y gweddill fory ac ymbil arno i ddiflannu.

– *Miss Thornton won't be pleased* . . .

Ond fe welodd Jimmy'r motor car hefyd.

– *But I get the message, Danny boy.*

Y tu fas, yn y car, un arall sy'n 'deall y neges' yw Robert. A neges ddrwg iawn yw hi hefyd. Jimmy a'i gymar mewn drygioni'n codi llaw arno'n dalog wrth adael y caffi. Beth yw eu gêm nhw? A beth yw'r cam nesaf yng ngêm beryglus eu cyflogwraig? Gwinga wrth gofio'u traed yn ei gicio. Gall glywed eu chwerthin a hwythau'n ei adael yn swp yn y gwter. Dau ddihiryn, dau bwped, dau gi bach i fenyw y mae ei hymerodraeth uwchlaw'r gyfraith. Ond – ac mae Robert yn addo hyn iddo'i hunan – fe ddaw eu tro . . .

Llais Martha sy'n torri ar draws ei feddyliau. Mae hi'n sôn rhywbeth am Dan . . .

– Ddylwn i ddim sôn am hyn. Duw a ŵyr, ma' Marged yn ddigon o ofid i ni ar hyn o bryd. Ond fe ddylech chi ga'l gwbod. Ma' fe'n dwgyd arian – tipyn bach ar y tro, swllt ne' ddou fan hyn a fan draw i dalu am yr yfed, y gamblo a'r menwod. Ma' 'da fe broblem fowr . . .

Nid Daniel Jenkins yw'r unig un â phroblem fawr, meddylia Robert.

Yn hwyr y noson honno, mae Daniel Jenkins yn ychwanegu at ei broblemau. Mewn stafell dywyll, fyglyd rywle ym mherfeddion *Thornton's,* yng nghanol y gwydrau whisgi a stympiau sigaréts, mae'r cardiau'n cael eu delio am y trydydd tro. Ac fe allech dorri'r awyrgylch drydanol â chyllell. Un gêm i Alf, y llall i Dan a'r drydedd yn y fantol. A'r whisgi'n dechrau

146

gafael, yr adrenalin yn llifo a'r arian ar y ford, mae'r demtasiwn i fentro'r cyfan yn ormod iddo.

Hanner munud a thair carden yn ddiweddarach ac mae'r cyfan wedi'i golli. Ac mae Vera'n gwenu ei gwên fach faleisus.

– *Collect the damage, Jimmy.*

Mae gofyn meddwl clir i ddod o dwll mor ddwfn â hwn. Gan fod Daniel wedi'i biclo gall wneud dim ond gwenu'n ddwl ac addo talu rywbryd annelwig yn y dyfodol. Mae ei hadwaith yn ddidostur.

– *I'm tired of you, Daniel. Tired of a little boy trying to play big men's games. Teach him a lesson, Jimmy . . .*

Mae Jimmy'n gafael ynddo yn ei ddull dihafal ei hunan ond, er gwaetha'r whisgi, mae Dan yn ddigon sobor i chwarae ei garden gryfaf oll. Gwena ar Vera a sibrwd yn ei chlust.

– *My uncle – your doctor – I'm going to bleed him, right?*

Mae ei cheg a'i llygaid yn culhau.

– *Keep off, Daniel! He's mine!*

– *I'll let you have him if you let me off the hook.*

Bargen yw bargen. Mae hi'n amneidio ar Jimmy sy'n ei ollwng, yn anfoddog, o'i afael. Cyn i neb ailfeddwl mae Daniel yn dianc o'u crafangau.

Drannoeth, a chlychau niferus y brifddinas yn atgoffa pobol ei bod yn Sabath, mae Hannah'n edrych drwy ffenest ei llofft ac yn gweld dyn pen moel yn cerdded at ddrws y Mans, yn dewis llythyr o nifer sydd ganddo yn ei law ac yn ei wthio drwy'r blwch postio.

– Llythyr i chi, Tada!

Erbyn iddi gyrraedd lawr i'r cyntedd mae William wedi cuddio'r llythyr ym mhoced ei got fawr. Fe sylwa Hannah fod ei ddwylo'n crynu.

Er bod dwylo Isaac yn crynu fel dail mewn storom, mae ei lais yn gadarn fel y graig.

– Feddylies i byth y bydde mab i fi'n sinco mor ishel. Yfed, cwrso menwod, gamblo . . .

– Gan bwyll nawr, Dat . . .

– Twyllo, dwgyd . . .

– Ma' hynna'n gelwydd!

– Ishte di le wyt ti, a phaid â mentro symud nes bo' fi wedi bennu 'da ti!

Beth sy'n gwneud i ddyn un ar hugain oed ufuddhau i'w dad fel crwtyn teirblwydd? Greddf? Arferiad? Ofn?

– Ti'n dwgyd yn gyson o'r caffi. Fuest ti'n dwgyd o'r siop 'ma – dwgyd 'wrth dy rieni dy hunan!

– Naddo!

– Paid â gwadu! Ma' dy fam a finne'n gwbod. Ma' Robert yn gwbod.

Y tawelwch a'r edrychiad euog sy'n dweud y gwir o'r diwedd. Does dim pwynt gwadu mwy.

– A ma'n rhaid i ti dalu'r cwbwl 'nôl. I ni, a i Robert. Punt y mis . . .

– Beth!

– Glywest ti!

Daw diwedd sydyn ar eu sgwrs, os 'sgwrs' hefyd pan ddaw Annie ac Esther i mewn, Annie wedi gwisgo'n barod am y cwrdd yn ei het hwyaden, ac Esther yn magu Ifan Bach.

– Reit 'te, Isaac, wyt ti'n barod?

Mae blynyddoedd o adnabyddiaeth o'r natur ddynol wedi ei gwneud yn fenyw graff.

– A beth sy'n bod fan hyn? Pam y wynebe hir?

– Dan a finne'n ca'l sgwrs fach galed ar fore Sul fel hyn. Esther, dwyt ti ddim yn dod i'r cwrdd?

– Na, allen i ddim wynebu pobol.

'Na finne!' yw ymateb greddfol Dan. Ond, a'r awyrgylch fel y mae, gwell rhoi ateb callach.

– Fe arhosa inne gatre 'da chi, Anti Esther. I helpu cadw Ifan Bach yn hapus.

Mae'n rhaid i Isaac, er ei waethaf, edmygu dyfeisgarwch digymrodedd ei fab.

Wrth ddrysau Capel Gladstone Road mae William Jones yn taflu edrychiad od i gyfeiriad Robert sydd newydd gyrraedd yn ei gar. Yna fe dddychwela at ei briod waith o groesawu'i braidd. Teulu'r Jenkinses – John a Lizzie, Jane, Isaac ac Annie – a gaiff y flaenoriaeth, a hwythau yn eu trallod. Dim un gair o hyd am

Marged, er gwaethaf ymdrechion pawb, gan gynnwys Lady Orme a'i *Society for Lost Girls in London.*

– *Mind you, no news is good news, I always say. Sorry about my lapse, Mr Jones.* Tydw i a Jane ddim 'di bod yn ffyddlon iawn yn ddiweddar. *Lost sheep, I'm afraid* . . .

– Defaid colledig ydym oll.

Ar draws y ffordd mae Luther yn gwylio'r gweithgareddau. Na, mae ei lygaid wedi'u hoelio ar encil rhwng dwy wal, rhyw ganllath o glwydi'r capel. Mae rhywun yn cuddio yno, ac wrth iddo sylweddoli pwy yw hi, dyw Luther ddim yn gallu credu'i lygaid.

A'r praidd a'r bugail yn ddiogel yn y gorlan, mae Luther yn mentro ati'n araf. Er ei bod yn syllu arno'n cerdded tuag ati, does dim cyffro yn ei llygaid, dim sbarc, dim adnabyddiaeth. Dim. Mae golwg drychiolaeth arni – ei hwyneb a'i dwylo'n frwnt, ei gwallt fel nyth a'i dillad diraen yn hongian amdani, yn union fel un o blant y stryd.

Ac yntau o fewn dwylath iddi mae Luther yn oedi, yn gwenu, yn sibrwd . . .

– Marged fach Jenkins . . .

Mae hi'n syllu arno, yn bell, yn wag, yn llawn anobaith. Ac yna mae hithau'n sibrwd.

– Gatre . . . Wy isie mynd gatre . . . .

– Fe af i â ti – i dŷ dy wncwl Robert . . .

– Na!

– I'r Dairy, 'te . . .

– Na! I Ffynnon Oer! At Mam a Dat! Cerwch â fi at Mam a Dat!

Yno, yn sŵn yr emyn cyntaf, ac yntau'n rhoi ei freichiau amdani i'w chysuro, mae Luther yn penderfynu gwneud yr amhosib.

– 'Rwy'n hiraethu am gael clywed
  Un o eiriau pur y ne',
  Nes bod ofon du a thristwch
  Yn tragwyddol golli eu lle.'

– Ie, gyfeillion annwyl, 'Nes bod ofon du a thristwch yn tragwyddol golli'u lle'. Yr hen Williams unwaith eto'n mynegi'n teimladau ni oll. Oherwydd mi rydan ni i gyd, yn ystod ein taith ar yr hen ddaear yma, yn profi hen ofon du, hen dristwch affwysol. Ond mae Williams yn deud bod modd goresgyn ofn, concro tristwch, dim ond i ni glywed llais yr Iesu. 'O llefara addfwyn Iesu, mae dy eiriau fel y gwin . . .' A dyna, gyfeillion annwyl, fydd neges y gwasanaeth hwn y bore 'ma. Boed i eiriau'r Iesu fod yn gymorth ac yn gysur i deulu un sy'n gofidio am un annwyl iawn, sef Marged Ann Jenkins. Boed i nawdd Duw fod gyda hi, ble bynnag y mae hi . . .

Mae golwg ddoniol ar Isaac Cohen wrth iddo archwilio'r oriawr aur. Yn ogystal â'r siôl am ei ysgwydd a'r cap du am ei ben, mae ganddo chwyddwydr yn sownd yn ei lygad chwith ac fe wna stumiau rhyfedd wrth geisio cadw'i lygad dde ynghau.

Mae Dan yn disgwyl am ei farn yn eiddgar.

– *It's a very good watch, Daniel. Swiss, eighteen carat movement . . .*

Gŵyr Dan yn iawn ei bod yn oriawr dda gan fod Esther newydd ddweud hynny wrtho. Dyna sut y cafodd y syniad gwych o'i gwerthu.

– *How much, Isaac?*

– *Why do you want to sell it?*

– *How much!*

– *Five pounds.*

– *And what about the chain?*

– *Five pounds for the watch and chain.*

– *You scoundrel!*

Mae Dan yn gynddeiriog. Hen gadno drewllyd o Iddew yn credu y gall dwyllo mab y cymdogion a fu mor garedig wrtho ar hyd y blynyddoedd.

– *You wait 'till I tell my parents!*

Ysgwyd ei ben yn drist a wna'r hen gadno.

– *You are going to tell them that you are selling your grandfather's watch?*

Yn seiniau Na Thralloder Eich Calon y mae'r organydd yn ei ymarfer ar gyfer cyngerdd yr wythnos nesaf, mae Hannah'n crwydro'n aflonydd o lun i lun. Cafodd orchymyn i aros ar ôl yr oedfa nes bod ei thad wedi gorffen trafod rhywbeth pwysig gyda'r Doctor yn stafell y blaenoriaid. Ond blinodd ar syllu ar gerrig coffa i fawrion y capel, ar wynebau hen emynwyr a gweinidogion ac ar ddarluniau Beiblaidd. Bu'n hoff erioed o'r un o'r Iesu yn eistedd gyda'r plant o'i gwmpas, ac mae 'Myfi yw Goleuni'r Byd' bob amser yn rhoi gwefr iddi. Ond nawr, mae hi'n barod i fynd adref i gael cinio.

Mae'r organydd yn gorffen ei ymarfer, yn ffarwelio ac yn mynd. Does dim amdani ond dweud wrth ei thad ei bod hithau hefyd yn awyddus i roi'r tatws a'r moron ar y tân. Ond mae rhywbeth yn gwneud iddi oedi wrth y drws cilagored – lleisiau isel y dynion, ac ambell air annelwig – rhywbeth am 'gyhuddiad difrifol', 'llythyr dienw' a 'babi anghyfreithlon'. Dyna sy'n ysgogi Hannah i fynd yn nes ac i bipo drwy gil y drws mewn pryd i weld ei thad yn rhwygo darn o bapur a rhoi'r darnau mân i Robert sy'n eu stwffio'n ddwfn i'w boced cyn ysgwyd llaw yn gynnes.

Pan ddaw'r ddau o'r festri, croten fach ddiniwed sy'n eistedd ar un o'r seddi cefn. Mae hi'n ffarwelio'n sifil iawn â Robert ac yna'n sydyn, yn troi fel teigres ar ei thad.

– Be 'di'ch gêm chi, Tada? Chi a Robert Roberts?

– Dim byd i neud â ti.

– Na, tydw i ddim yn perthyn i'r 'frawdoliaeth'! Honno sy'n 'ych gwarchod bob tro y bydd rhywun yn y cachu!

– Paid ti â meiddio defnyddio araith fel'na yn Nhŷ Dduw!

– A be 'dach chitha newydd 'neud? Addo twyllo a rhagrithio . . .

– Gwylia di dy hun efo'r cyhuddiada difrifol 'ma!

– Mae o 'di neud rhwbath difrifol, tydi? Rhoi babi i rywun! Glywis i chi'n siarad! Ond mi rwygoch chi'r llythyr oedd yn 'i gyhuddo. Mi welis i . . .

Yn sydyn mae William yn gafael yn ei braich yn ffyrnig.

– Welist ti ddim byd! A chlywist ti ddim byd! Affliw o ddim byd! Ti'n dallt?

Mae ei boer yn tasgu ar ei boch. Yr eiliad honno y dechreuodd Hannah gasáu ei thad.

– 'Dach chi'n druenus, Tada. Yn sefyll fan hyn, yn 'ych capal mawr crand, yn trio 'nhynnu i i mewn i'ch celwydd a'ch rhagrith chi. Wel chewch chi ddim. Dwi'm isio dim i 'neud efo nhw. Dwi'm isio dim i 'neud efo chi – na'ch crefydd na'ch blydi capal!

Petai'r tân sydd yn llygaid duon Hannah'n gallu llosgi byddai William Jones a'i gapel gwych yn wenfflam.

– *Why, Vera? Why do this to me?*
Mae'r darnau papur yn syrthio fel conffeti bras ar orchudd coch y gwely.
– *'Hell hath no fury like a woman scorned'. Congreve – clever, ain't I? But you're the clever dick – or the clever doc! You know the bloody lot.*
Ond dyw Robert ddim yn gwybod un peth pwysig – beth yn union yw ei chymhellion. Pam anfon llythyr at William Jones? Pam hwnnw? Ac yna, wrth weld ei llygaid sarff yn tasgu, fe wawria arno. Un llythyr o blith nifer fawr oedd hwn sy'n ddarnau rhyngddynt. Mae Robert yn eu codi fesul un ac yn eu rhoi yn ôl yn ei boced.
– *I'm not paying you a penny.*
– *Don't insult me, Doctor! I don't want your stinking money! I just want my 'pound of flesh'. Shakespeare – but of course you know . . .*
– *What 'pound of flesh' exactly?*
– *'Eminent Harley Street doctor fathers niece's baby'!*
A dyma beth sy'n bwrw Robert. Dyfnder a dwyster casineb yr un a fu unwaith yn ei arteithio mor gariadlon.
– *You have no evidence. Just two photographs. And I have friends.*
– *Friends, like lovers, can be poison!*
– *Listen Vera, darling . . .*
– *Get out, you bastard! Out of my bedroom, out of my bloody life!*
Bu'n gaethwas ufudd iddi droeon, yma, yn y stafell hon, yn y gwely hwn. Does dim dewis ganddo nawr ond ufuddhau i'w gorchymyn olaf.

Ar ôl i'r drws glepian y tu ôl iddo does neb ond ni'n gweld yr arteithwraig druenus mewn gŵn nos o sidan coch yn torri'i chalon.

Ddwyawr yn ddiweddarach dyn gofidus sy'n eistedd yn ei gadair esmwyth yng ngwyll ei barlwr, gwydraid o frandi mewn un llaw a sigâr yn y llall. Mae goleuadau melyn lampau Harley Street yn treiddio drwy'r llenni lês gan greu patrymau fel gwe corryn ar draws ei wyneb. Ond y crychau ar ei dalcen a'r olwg bell yn ei lygaid sy'n datgelu ei ofid.

O'i flaen mewn blwch llwch mae darnau mân o bapur. Bob hyn a hyn fe sugna'i sigâr nes bod ei blaen yn danbaid ac yna fe'i gosoda'n ofalus ynghanol y blwch a gwylio ambell ddarn yn cynnau'n goch, yn cyrlio'n don o frown cyn gwasgaru'n bowdwr du. Gwna hyn deirgwaith neu bedair, rhwng sipian ei frandi, nes bod y blwch yn drwch o lwch.

Mae cloch y drws yn canu'n sydyn. Y person diwethaf yn y byd y dymuna Robert ei weld, heblaw am Vera Thornton, yw Daniel Jenkins, ond hwnnw sy'n gwthio heibio iddo'n feddw herfeiddiol ac yn eistedd, yn wên o glust i glust, yn y gadair esmwyth.

– Dy'ch chi ddim yn mynd i'r cwrdd, Wncwl Robert?

– Wyt ti 'di bod yn yfad.

– Odw.

– Be 'di dy negas di?

– 'Y neges i, Wncwl Robert? Y'ch chi yn y cachu. Lan at y sbectol fach neis sy ar fla'n 'ych trwyn. 'Na beth yw 'y neges i.

– Dos o 'ma.

– Ond ma'n rhaid i chi ga'l gwbod pwy yw'r cachu! Vera Thornton, Jane Jenkins, Ifan Enoc Blydi Bach. A 'mwriad i yw rhoi gwbod i bawb . . .

– Reit 'ta'r sinach bach dan din! Gwranda di ar hyn! Ti sydd yn y cach! Ac unrhyw ddiwrnod rŵan, mi ffeindi di dy hun yn y jêl! Achos dyna be 'di'r gosb am ddwyn. A mi wna i'n siŵr dy fod ti yno am flynyddoedd, gan fod gin i, fel y gelli di ddychmygu, ddylanwad mawr ymhlith y bobol bwysig – plismyn, twrneiod, barnwyr.

Mae Dan, fel arfer, yn un digon chwimwth ei feddwl. Ond o dan anfantais effaith prynhawn o alcohol, does ganddo fawr o siawns yn erbyn ystwythder ymenyddol Robert.

– O, mi wyt ti mor glyfar, Daniel Jenkins. Credu y medrat ti 'y mlingo i. Ond fi 'di'r bos, Dan bach. Fi sy'n rheoli'r sioe. Ac os agori di dy geg, mi fydd hi'n amen arnat ti. Ond dwi am roi siawns i ti. Oes gin ti ddiddordeb?

Mae tawelwch pwdlyd un sydd â'i gefn at y wal yn ddigon o ateb.

– Os cedwi di dy geg ynghau, mi fydd gynnon ni ddealltwriaeth fach.

– Dealltwriaeth?

– Ia. Ti'n deud dim – fi'n deud dim. Dallt?

Mae Dan yn deall yn iawn.

– Rŵan, dos i sobri, 'na ti hogyn da.

Buddugoliaeth, am y tro, i Robert. Tybed? Mae gwên Dan yn un faleisus.

– Cofiwch un peth, Wncwl Robert, wy *yn* gwbod beth ddigwyddodd rhyntoch chi a Jane. Cyfrinach y gyfnither a'i hwncwl parchus. 'Na beth yw deinameit – ontefe!

– Dos!

Ac mae Dan yn mynd – ar ôl gwacáu gwydraid Robert a dwyn un o'i sigârs o flwch arian sydd ar y ddesg.

Dau wydraid mawr o frandi'n ddiweddarach mae Robert yn deialu'r *telephone*.

– *I'd like to speak to Jane.*

Noson glir o wanwyn yn Grosvenor Gardens, WI. Noson olau leuad, oer, a'r naws llwydrew'n treiddio i fêr esgyrn y fforddolion prin sy'n prysuro'u camau tuag adref. Ambell drempyn yn anelu at fan cysgodol i dreulio'r nos; ambell ŵr yn penderfynu ar gelwydd teilwng i'w ddweud wrth ei wraig; cariadon yn cwtsho at ei gilydd; pawb yn stwffio'u dwylo'n ddwfn i'w pocedi, yn codi eu coleri ac yn tynnu eu hetiau i lawr dros eu clustiau.

Mae hi'n rhy oer i loetran. Mae'n rhaid fod gan y dyn a'r ferch sy'n eistedd ar fainc yng nghornel pella'r gerddi reswm da dros fod yno, ynghudd o dan gysgod y coed castan. Sibrwd y maen nhw, a phob anadl o'u cegau'n codi'n darth gwyn sy'n hofran am eiliad neu ddwy cyn diflannu i'r tywyllwch. Ydyn nhw'n gariadon dirgel? Ai dewrder neu ffolineb sy'n peri iddyn nhw sythu yn yr oerfel llym? Neu reidrwydd? Ac ai swildod neu dyndra sy'n peri iddyn nhw eistedd ar wahân, eu cyrff heb fod yn cyffwrdd?

Fe welwch bod dagrau yn llygaid y ferch, ac mae ei dwylo, yn y menig du, yn crynu. Mae hi'n ymdrechu i reoli'r dagrau ac yn aros nes bod dyn bach gwargam, yn chwibanu *'Nearer My God To Thee'*, wedi mynd heibio'r ochor draw i'r clawdd. Yna mae hi'n sibrwd.

– Ma' hi ar ben arnon ni 'te.

– Does dim rhaid iddi fod.

Mae eu llygaid yn cwrdd – llygaid dau gariad – neu ddau a fu unwaith yn gariadon.

– Cofia 'mod i'n dy garu di.

– Na!

– Ond mae o'n wir! Ers y noson erchyll yna ddaru ni ffarwelio, mi wyt ti 'di bod yn fy meddwl i. Dwi 'di cario dy lun di, a llun ein babi ni . . .

– Pidwch â gweud y pethe hyn . . .

– Dwi isio dy arddel di. Isio arddel y babi . . .

Yn sydyn mae hi ar ei thraed, yn ei wynebu â'i llygaid yn diferu.

– Os gwedwch chi air wrth neb amdanon ni, faddeua i byth i chi! Wedyn ma'n rhaid i chi addo! Dim gair!

Erbyn hyn mae ei chorff i gyd yn crynu.

– Gwedwch bo' chi'n addo!

Ychydig eiliadau o betruso, a'i anadl yn codi'n darth i'w hwyneb.

– Dwi'n addo.

Mae hi'n nodio'n fuddugoliaethus cyn troi a cherdded oddi wrtho.

*

Mae'r hwyaid a'r ieir yn gwasgaru'n swnllyd wrth i Marged Ann frasgamu drwyddyn nhw ar draws y clos. Syllu'n ddifater arni a wna'r ddwy gath sy'n gorwedd yn yr haul ar ben wal y twlc, cyn mynd ati unwaith eto i ymolch yn ofalus. Yr unig un sy'n rhoi croeso iddi yw Pero, sy'n cyfarth yn llawen ac yn tynnu'n llawn cyffro ar ei dennyn. Mae hi'n ei gofleidio'n dynn ac mae yntau'n llyfu ei hwyneb.

– Pero bach! Shwt wyt ti, was? A ble ma' pawb?

Mae Pero wedi sylwi ar rywun draw wrth glwyd y cae-bach-

155

dan-tŷ. Er ei fod yn dal i siglo'i gwt mae hi'n amlwg ei fod yn disgwyl i Marged fynegi ei chroeso i ddieithryn ar dir Ffynnon Oer.

– Luther yw hwnna, Pero. 'Yn ffrind i. Fe dda'th â fi gatre, bob cam o Lunden. Y'n ni'n trafeili ers echdo', fe a fi. Ond ble ma' pawb? Mam a Dat, a Wncwl Enoc? A Rhys – ody fe ymbytu'r lle? Mam? Mam! Ble y'ch chi?

Tri pheth sy'n croesi meddwl Luther wrth sefyll yn y bwlch rhwng Cae Glas a Chae Top yn gwylio Marged, a'r hen Bero'n bowndian wrth ei thraed, yn rhedeg at ei thad, ei breichiau ar led a'i gwallt yn hedfan. Yn gyntaf, ei bod yn anodd dewis yr ansoddair gorau i ddisgrifio'r diwrnod hwn, un o'r dyddiau gorau, hyfrytaf a llawen a gafodd erioed yn ei fywyd. Yn ail, mor wych fyddai cael rhewi'r llun, neu'n well fyth, cael ei chwarae drosodd a throsodd fel ffilm. Mae gweld y ddau, y ferch a'i thad, yn cwrdd ac yn cofleidio, yn dod â dagrau i lygaid yr hen bererin mwyn. Yn drydydd, fe sylweddola y bydd digwyddiadau'r dyddiau diwethaf yn aros yn ei gof am byth. Marged fach Jenkins ar goll, a'r chwilio mawr amdani. Fe, o bawb, yn ei gweld yn cuddio, fel un o blant y stryd, ar gornel Gladstone Road. Pam na alwodd ar ei thylwyth y funud honno, a'r rheiny o fewn canllath iddi? Pam ildio i'w hymbilio taer a chytuno i'w hebrwng yn ôl i'w chartref? Mae'r ateb yn un syml. Am nad oedd dewis ganddo. Am fod rheidrwydd arno i hebrwng croten fach anhapus o uffern yn ôl i nefoedd ei chynefin. Ddwyawr neu dair yn ddiweddarach, a hwythau wedi gadael cyrion Llundain, y sylweddolodd ddifrifoldeb ei benderfyniad cwbl wallgof. Ond erbyn hynny roedd hi'n rhy hwyr – yn rhy hwyr i ailfeddwl, yn rhy hwyr i droi'n ôl. A thorrodd Luther Lewis erioed ei addewid.

Roedd 'na reswm arall dros barhau â'r siwrnai. A'r siwrnai ryfeddaf oedd hi hefyd. Trempyn didoreth a chroten fach anniben yn peri i bennau droi ac i dafodau glebran, y groten fach heb fawr o Saesneg, y trempyn yn dyfynnu o'r Beibl ac o weithiau athronyddol mawr, a'r ddau'n canu emynau Cymraeg am dâl o fara a chaws ac afal. Cerdded nes bod y traed yn brifo; cael hoe fach ym môn clawdd; ambell fotor car a fan a chart yn achubiaeth. A'r milltiroedd yn gwibio heibio.

A'r newid cynyddol a fu ym Marged fach Jenkins fesul milltir, fesul awr o Lundain a barodd i Luther ddyfalbarhau, ac i sylweddoli nad oedd ei benderfyniad yn Gladstone Road mor wallgof wedi'r cwbwl. Roedd y newid ynddi'n rhyfeddol, yn syfrdanol. Roedd hi'n byrlymu o egni, ei hwyneb, ei llygaid a'i gwên yn pefrio. A'r wên oedd yn bwysig i Luther. Hyd y gallai gofio, doedd e erioed wedi gweld gwên ar wyneb y groten fach anhapus. Ond fe sylweddola erbyn hyn nad anhapusrwydd oedd yn ei llethu ond hiraeth. Hiraeth am ei brawd, am ei theulu, am ei chartref. Roedd hi hefyd mor boenus o swil a diniwed, ac o natur mor wahanol i'w chwiorydd byrlymus, doedd dim rhyfedd bod pawb mor warchodol ohoni. A doedd dim rhyfedd nad oedd hi byth yn gwenu.

Ond ar y ffordd rhwng Llundain a Cheredigion, Haleliwia – wele wên! Gwên wrth i Luther gyfarch Goronwy Davies, *West London Dairies* – 'Chi'n siarad Cwmrâg?' 'Odw, glei!'. Gwên wrth ddringo i mewn i'w fan ac eistedd ar ben y *churns*. Gwên wrth iddi yfed o jwged fach o laeth a datgan 'Ma' fe cystal â lla'th Wncwl Isaac'. A gwên wrth weld Luther yn arllwys jòch go fawr o whisgi at weddill y llaeth ac yn ateb yn wamal 'Twt! Ma' hwnnw'n rhoi dŵr ar ben 'i la'th!' cyn ei yfed ar ei ben. Gwên wrth i wraig fach fochgoch, gron Farmer Devonald yn Calne gynnig gwely plu iddi i gysgu'r nos, a chynnig tas wair i Luther. A gwên drwy'r dydd drannoeth – ar y daith blygeiniol ar lorri lysiau i farchnad Gloucester, ar fotor car i'r Gelli Gandryll, ar gart a cheffyl i Aberhonddu, un arall i Lanymddyfri, a fan wartheg i Gwm Ann. Yna cerdded dros y bont i Lambed a dal *bus* i Aberaeron. Yno, o flaen Gwesty'r Feathers, y cafwyd y wên letaf tan hon, nawr, yng nghanol Cae Top, a'i thad a Rhys ac Enoc yn ei chofleidio a Pero'n rhedeg cylchoedd o'u cwmpas i ddangos mor falch yw yntau hefyd i'w chroesawu'n ôl.

Dyma Luther felly, yn hen bererin hapus iawn, yn dyst i'r dychweliad a'r aduniad, yn dyst i'r wên. A dyma Marged yn troi ato a'i bryd ar egluro bod ei mam ac Ifan Bach yn Llundain, ond y bydd yn siarad â hi chwap ar *delephone* newydd Pantrod ac y bydd yn rhoi gorchymyn iddi ddod adref ar y trên cyntaf posib fory . . .

Ond mae Luther wedi diflannu.

HAF, 1922

Dri mis yn ddiweddarach, a sŵn swish, swish y pladuriau'n lladd y gwair yn gymysg â hymian y gwenyn a'r picwn, Enoc yn canu *'Blow the Man Down'* ac Ifan Bach yn chwerthin wrth ymdrechu i ddal iâr fach yr haf yn ei law fach bwt. Maen nhw wedi'i osod ar garthen yng nghornel y cae, ac ar honno hefyd mae'r chwiorydd, Martha, Jane a Marged, yn eu ffedogau gwynion, yn gosod y te – basgedeidiau o fara jam, caws a tharten riwbob. Yno mae Esther yn eistedd hefyd, fel brenhines, yn gadael i'w merched wneud y gwaith i gyd am unwaith.

Roedd hi mor falch o weld Jane a Martha'n cyrraedd am wythnos fach o wyliau. Ond mae rhywbeth yn ei phoeni, rhywbeth mawr. A gweld Jane yn codi Ifan Bach i'w breichiau ac yn rhoi tamaid o fara jam iddo sy'n codi'r hen anesmwythyd unwaith eto. Ond does dim mwy o amser i hel meddyliau gan fod y dynion, – Ifan, Enoc, Rhys, Defi Oerddwr a Wil Plough – yn dod at y ffest fel moch i'r cafan.

– Jawl eriôd! Dim ond te sy 'da chi, ferched bach? Fydde'n well 'da fi 'bach o *rum*!

– Petrol i'r hen enjin, ife, Wncwl Enoc?

– Ie, glei! A fe weda i hyn wrthoch chi, fe hedfanen i dros ben y cloddie 'na fel 'nath tarw Ianto'r Hendre 'slawer dy'! Welech chi mohono i!

Yng nghanol y chwerthin fe ddaw cwestiwn poenus Marged Ann.

– Ond fe ddelech chi 'nôl aton ni?

– Jawl eriôd, groten, fe ddes i'n ôl o ben draw'r byd!

– Fe ddes i – a Jane a Martha – 'nôl o Lunden.

– Do – ond fe fyddan nhw'u dwy'n ôl 'na whap. O byddan! Martha'n tendo ar y crachach yn y 'Croesow Cafei' . . .

Esther yw'r unig un sy'n sylwi ar Rhys a Martha'n syllu ar ei gilydd.

– A Jane yn grand i gyd yn Bayswater. Beth yw enw'r fenyw fowr 'na 'to?

Esther yw'r unig un hefyd i sylwi ar eiliad o edrychiad rhwng Martha a Jane. Eiliad o edrychiad sy'n gadarnhad o'r hyn y bu'n ei amau ers rhai dyddiau – bod rhywbeth wedi digwydd rhwng Jane a Lady Orme. Sawl gwaith wrth holi amdani fe atebodd Jane ei chwestiynau'n swta. A hon yw'r fenyw yr oedd yn meddwl y byd ohoni, a fu mor garedig wrthi – wrthyn nhw i gyd fel teulu adeg marw Morgan ac adeg diflaniad Marged. Ac wrth gofio am y ddau achlysur, mae'r hen fatriarch yn gwingo. Dyw hi ddim yn un i ildio i ddiflastod. Fe hwyliodd drwy sawl storom. Ond mae meddwl am Morgan un ar bymtheg oed yn peswch gwaed ac yn cuddio'i hances waedlyd yn dod â'r ing a'r dolur enbyd yn ôl. Ei bachgen hardd, mor ddewr . . . A Marged, mor ddiniwed a theimladwy, yn cael ei thynnu'n ôl o ymyl dibyn salwch meddwl. A Gwen fach wedyn . . .

Na, rhaid peidio ag ildio. Mae ganddi ddigonedd i fod yn ddiolchgar amdano. Tair merch a mab sydd, er gwaethaf popeth, yn gredit iddi hi ac Ifan. Ac wrth gwrs, mae ganddi Ifan Bach, sydd ar hyn o bryd yn stwffio darn o fara jam i geg ei fam . . .

Ei fam? Mae Esther yn gwingo eto . . .

Martha, fel arfer, yw'r un sylwgar sy'n gweld yr olwg ryfedd ar wyneb ei mam. Ac fe ddealla'n iawn beth yw ei gofid. Ifan Bach benfelyn, bywiog, sy'n cropian ac yn trotian bob yn ail, sy nawr yn eistedd ar lin Jane â'i wyneb a'i ddwylo a'i wallt yn drwch o jam. Sy'n dechrau siarad. Sy'n galw 'Dat' ar Ifan. Sy'n galw 'Mam' ar Esther. Dyma gawdel . . .

Mae Martha'n troi i syllu ar Jane, y chwaer fawr, ei heilun ers yn blentyn. Yr un bert, yr un anturus a fynnodd dorri mas o'r rhigol a mynd i Lundain yn bymtheg oed. Yr un yr oedd Martha'n ei hedmygu gymaint fe fyddai'n ymdrechu i fod yn debyg iddi o ran ei golwg, ei siarad a hyd yn oed ei cherddediad. Pan benderfynodd Jane dorri'i gwallt yn *bob* ffasiynol, fe gneifiodd Martha'i mwng trwchus â siswrn bras ei thad.

Ond do, aeth pethau'n gawdel. Disgwyl babi anghyfreithlon, gwrthod dweud pwy oedd y tad, gorfod ildio'i phlentyn i'w rhieni, dioddef hiraeth mawr amdano. A wedyn, y busnes gyda

Marcus – pan sylweddolodd Jane nad hi oedd yr unig forwyn fach o dan ei fawd.

Mae Jane yn gwenu ar Martha cyn troi ei sylw unwaith eto at Ifan Bach, sydd erbyn hyn yn dechrau pendwmpian yn ei breichiau. Mae Jane yn gafael yn ei law fach chwyslyd, jamllyd ac yn chwarae â'i fysedd, fel petai hi'n gwneud yn siŵr bod y pump yn berffaith. Mae hi'n syllu ar ei wyneb, ar ei amrannau hir a'i aeliau tywyll, ac yna'n cribo'i gyrls melyn, llaith yn ôl o'i dalcen. Ac mae'r tebygrwydd yn ei bwrw unwaith eto – y tebygrywdd rhyfedd rhwng Ifan Bach a'i dad. Y tebygrwydd sy'n ei dychryn.

Wrth deimlo'i gorff yn mynd yn fwyfwy llipa yn ei breichiau mae Jane yn sylweddoli cymaint o faich yw'r crwt bach diymadferth yma. Ar hyn o bryd, Esther ac Ifan sy'n cario'r pen trymaf. Ond fe ddaw amser pan fydd hi'n ei arddel, pan fydd hi'n ysgwyddo'r baich o'i fagu. Pryd? Cyn bo hir, pan fydd hi wedi cynilo digon o arian, pan fydd ganddi well gwaith na bod yn *lady's maid*, pan fydd hithau'n *lady* fach, falle, yn byw mewn tŷ mawr neis. Pan fydd ganddi ŵr – dyn a chanddo ddigonedd o arian, un a fydd yn falch o arddel ei phlentyn. Dyn gwahanol iawn i Marcus, â'i gellwair caru creulon. Un na fyddai'n ei bradychu cyn ei thaflu bant fel lwmp o gachu . . .

Un arall a fu'n meddylu wrth yfed ei de yw'r un sy'n eistedd ar wahân i'r lleill. Hen ŵr bach gwargam, fawr dros ei ddeugain oed, y gallech dyngu ei fod yn drigain. Un sy'n gweld bywyd yn dechrau mynd yn fwrn. Un sy'n syllu'n bell ar ei wraig a'i ferched, ac ar ei ŵyr, y crwtyn bach sy'n ei alw'n 'Dat'.

Y noson honno, a'r haul yn machlud yn gysurus dros y môr, mae 'na ddau'n cerdded ar hyd y llwybr uwchben y Gilfach, eu cysgodion yn ymestyn yn hir y tu cefn iddyn nhw. Does dim yn cael ei ddweud ond mae rhyw gydymdeimlad, rhyw ddealltwriaeth ddofn, yn amlwg rhwng y ddau. Pan fydd y bachgen yn aros, ac yn troi i wynebu'r ferch, mae hithau'n aros yn ei hunfan. Ai gwrid y machlud sy'n goleuo'i hwyneb? Ai diwrnodau yn yr haul sy'n gyfrifol bod ei bochau'n fflamgoch wrth iddo ymestyn am ei llaw a sibrwd ei henw? Wrth iddo ei thynnu ato a'i chusanu'n ysgafn? Wrth iddo sibrwd ei henw?

160

– Martha . . .

– Ie, yr un hen Fartha . . .

– Yr un wy'n 'i charu. Yr un wy am 'i phriodi . . .'Nei di, Martha?

Gwên, a chyffyrddiad ysgafn ei llaw ar ei foch.

– Ti wedi'i gweld hi, on'd wyt ti? 'Y mhriodi i – a cha'l rhan o Ffynnon Oer yn y fargen.

Mae ei wyneb crwn yn bictiwr o ddolur – nes iddi ei gofleidio'n dynn a sibrwd yn ei glust.

– Rhys, o'n i'n credu na fyddet ti byth yn gofyn i fi!

Nid ystrydeb yw dweud bod silwét llonydd eu cyrff yn erbyn yr awyr binc fel darlun olew.

Pan gyrhaeddan nhw'n ôl law yn llaw mae motor car du yn llenwi'r clos. Gŵyr Martha pwy yw ei berchennog. Ond Marged sy'n parablu'r newyddion fel pwll y môr.

– Pwy feddyliet ti! Wncwl Robert a Anti Grace! A ma' rhwbeth mowr yn bod! Ma'n nhw yn y gegin, yn cwmpo mas yn dân gole â Mam a Dat – a Jane! Pam Jane? Beth ti'n credu sy'n bod?

Yn sydyn fe deimla Martha ofn. Mae arswyd yn ei meddiannu, ac amheuaeth greulon y bu'n ymdrechu ers misoedd i'w hanwybyddu. Mae hi'n edrych draw at ffenest y gegin. Does dim i'w weld drwy'r llenni lês. A does dim i'w glywed ond Pero'n tynnu ar ei dennyn a sŵn hwtian gwdihŵ.

– Fe addawoch chi . . .

Mae hi'n ddigon hawdd dweud mai sibrwd a wna Jane. Ond mae hi'n anodd disgrifio'r olwg gythryblus, hunllefus sydd ar ei hwyneb. Mae ei llygaid yn ddwy seren ymbilgar, laith, yn pefrio yn ei hwyneb gwelw. Yn rhyfedd iawn, fe ymdebygodd yn sydyn i Marged – golwg croten fach sydd arni, un fach eiddil, fregus, frau.

Er nad yw Robert Roberts yn fawr o gorff, fe ymddengys megis cawr o'i blaen, a'i gorff yn dweud y cyfan. Cadarn, cryf, di-ildio. Un sydd wedi arfer – wedi mynnu – cael ei ffordd erioed. Wrth ei ochr, rhyngddo a Jane, mae Grace yn crymu'i phen, gan ddyheu am fod ymhell o Ffynnon Oer a'r teulu estynedig yma sydd mor bwysig i'w darpar ŵr. Y tu ôl i Jane mae'r ddau, Ifan ac Esther Jenkins, fraich ym mraich, yn ddryslyd ddiniwed yn eu hanwybodaeth. Y grŵp teuluol, megis mewn ffotograff. Ond mae'r llun yn dywyll. Does dim golau yn y stafell, dim ond adlewyrchiad gwan y machlud drwy'r ffenest fach. Dim lamp, dim tân. Dim cynhesrwydd. Dim ond gwyll ac oerni. A thyndra. Ac ofn.

Mae Jane yn sibrwd eto.

– Fe addawoch chi bido gweud . . .

Mae Robert yn ochneidio – yn drist, yn ddiamynedd, yn llawn cydymdeimlad, pwy a ŵyr? – cyn estyn ei law ati. Mae hithau'n camu'n ôl yn reddfol i'w hosgoi. Ond does dim modd osgoi'r glatshen.

– Esther, Ifan – fi 'di tad Ifan Bach.

Mae hi'n glatshen sy'n atseinio o'r naill i'r llall. Jane, Esther, Ifan – a Grace, sy'n gafael yn ei bag yn dynn gan fod ei dwylo'n crynu.

Mae cloc y parlwr yn taro deg, a phob trawiad yn glatshen arall, yn glatshen ar ôl clatshen galed. Ac yna tawelwch llethol heblaw am ei dic-toc araf a sŵn gwdihŵ'n hwtian rywle draw yng nghoed y lôn.

Mae'r pump yn ddelwau llonydd yn y gwyll. Mae llygaid tri – Jane a Grace ac Ifan – yn syllu ar y llawr. Ond mae'r ddau arall yn syllu i fyw llygaid ei gilydd, y naill yn herio'r llall. Mae'n rhaid aros yn hir – neu ai ychydig eiliadau sy'n tic-tocian heibio – cyn i Esther siarad, ei llais yn glir ac yn gadarn?

– Chi . . . Chi sarnodd Jane . . . Chi rioodd fabi i'ch nith 'ych hunan.

– Esther . . .

– A nawr – y'ch chi isie mynd ag e, on'd y'ch chi? Y'ch chi isie dwgyd Ifan Bach. Wel chewch chi ddim.

Mae hi'n troi at Jane, yn agor ei breichiau iddi, ac yn ei chwtsho'n dynn fel y byddai'n gwneud â'i chroten fach flynyddoedd mawr yn ôl. Y fam a'r ferch, yn wynebu – yn wynebu pwy? Yr ewyrth? Y tad? Y cariad? Mae Esther yn gwybod yn iawn pwy yw e. Y diafol. Ac mae'r diafol yn siarad.

– Mae o'n fab i mi . . . Dyna'r gwir, er 'i fod o'n anodd iawn ei dderbyn. A chan mai fi ydi 'i dad o, dwi'n awyddus iddo fo gael y gora posib. Dim na fasa fo'n cael hynny yma, efo chi.

Ond a bod yn onast, tydi petha ddim yn hawdd yma, nac'dan? A 'dach chitha'ch dau yn tynnu 'mlaen. Mi fedrwn ni – Grace a finna – gynnig cartra cysurus iddo, ysgol dda, *nannies* . . .

– Cariad . . .

Mae Grace, o'r diwedd, wedi codi'i phen. Ond pan wêl edrychiad oeraidd Esther mae hi'n suddo unwaith eto ac yn magu'i bag yn dynnach fyth.

– Wrth gwrs y ceith o gariad. Mi geith o bopath angenrheidiol . . .

– Ewch o 'ma, Robert . . .

Y ffaith mai Ifan, o bawb, sy'n rhoi'r gorchymyn sy'n peri i Robert dewi'n sydyn a syllu arno'n syn.

– Do's dim croeso i chi 'ma yn Ffynnon Oer. Fydd 'na ddim byth 'to.

– Ond Ifan, mae gin i hawl . . .

– Glywoch chi beth wedodd Ifan! Cerwch o 'ma, chi a Grace! Cerwch 'nôl i Lunden yn 'ych car mowr crand! Gadwch lonydd i ni!

Grace sy'n ymateb gyntaf. Mae hi'n codi ac yn mynd at y drws.

– Dewch, Robert . . .

– Na, dim nes i mi ddeud . . .

– Y'ch chi wedi gweud hen ddigon! Wedi neud hen ddigon! Wedi sarnu'r cwbwl! A nawr y'ch chi moyn dwgyd Ifan Bach! Wel chewch chi ddim! Wedyn – ewch!

Does dim pwrpas dadlau mwy. Mae'n rhaid ildio.

– Tyd, Grace. Ond Esther, cofiwch hyn. Mae gin i dwrna yn Llundain. Un ardderchog . Ac mi gewch chi weld. Mi fydd y gyfraith o 'mhlaid i . . .

– *'Mother: Jane Letitia Jenkins. Father: Unknown'.*

Does neb wedi sylwi bod Jane wedi mynd at y dreser ac agor yr hen Feibl mawr. Does neb wedi sylwi ei bod wedi gafael mewn tystysgrif sydd rhwng y cloriau. Ond maen nhw'n sylwi arni nawr, ac ar ei gwên fuddugoliaethus.

– Wel? 'Wncwl' Robert? Dyw tad Ifan Bach ddim yn bod! Ma'ch cyfreth chi'n gweud *Father unknown!* Ond ma' 'dag e fam! A fi yw honno. Fi, Jane Letitia Jenkins. Fi yw 'i fam e! Fi pia fe!

– 'Myfi sy'n magu'r baban,
    Myfi sydd yn siglo'r crud . . .'
Oriau mân y bore ac mae Esther yn magu Ifan Bach yn y gadair siglo. 'Nôl a mlaen, 'nôl a mlaen, cân ar ôl cân, pennill ar ôl pennill, ac o'r diwedd mae'r ymladdwr bach wedi ildio.

Mae hi'n noson drymaidd, ac er bod y ffenest a drws y ffrynt yn agored led y pen, does dim awel yn y gegin a gall Esther deimlo'r chwys yn cronni ar ei gwar a'i thalcen. Ond does dim dewis ganddi ond aros yma yn y gadair nes bod y lwmpyn chwyslyd yn ei breichiau wedi mynd i drymgwsg. Petai hi'n codi nawr dyna ddiwedd arni.

Mae hi'n cau ei llygaid ac yn dal i ganu'n isel.

– 'Bu'n effro'r bore heddiw
    O hanner y nos tan dri . . .'
Canu, siglo. 'Nôl a mlaen, 'nôl a mlaen. Y cloc yn taro tri.

– 'Myfi sy'n hwian, hwian,
    Mae'r gofal i gyd arnaf i.'
Wynebau, lleisiau yn ei phen. Fi 'di 'i dad o. Chi sarnodd Jane. Fi yw 'i fam e. Fi pia fe.

– Fi pia fe.

Dim mwy o ganu. Dim mwy o siglo. Daw Jane ati a gafael yn Ifan Bach sy'n gorwedd yn llipa ddiymadferth yn ei breichiau. Cyn dechrau dringo'r staer mae Jane yn troi ati.

– Fi pia fe, Mam.

Yr actorion yng nghynhyrchiad Teledu Opus ar gyfer S4C

Cymeriadau'r Wlad

Esther Jenkins	Delyth Wyn
Ifan Jenkins	Dennis Birch
John	Rhydian Jones
Lizzie	Helen Rosser Davies
Gwen	Miriam Alun
Jane	Llinor ap Gwynedd
Martha	Nia Roberts
Marged Ann	Lisa Pugh
Morgan	Gruffudd Ifan
Rhys Jones	Ioan Evans
Sara	Einir Siôn
Enoc	Gareth Morris
Bet y Post	Gwenyth Petty
Harri James	Huw Davies

Cymeriadau'r Ddinas

Isaac Jenkins	Emyr Wyn
Annie	Victoria Plucknett
Daniel	Geraint Morgan
Robert Roberts	Owen Garmon
Grace Morgan	Sara Harris-Davies
Vera Thornton	Lesley Duff
Luther Lewis	Ifan Huw Dafydd
Isaac Cohen	Anthony Morse
Y Parchedig William Jones	Trefor Selway
Hannah	Gwenfair Vaughan Jones
David Davies	Jeremi Cockram
Lady Orme-Wilkinson	Sue Roderick
Pritchard	Ieuan Davies

Cynhyrchydd : Richard Lewis
Cyfarwyddwyr : Eryl Huw Phillips, Robin Rollinson-Davies